U0719952

金陵全書

甲編・方志類・專志

金陵梵刹志（二）

（明）葛寅亮 撰

南京出版社
南京出版傳媒集團

圖書在版編目（CIP）數據

金陵梵刹志 /（明）葛寅亮撰. —南京：南京出版社，2013.7

（金陵全書）

ISBN 978-7-5533-0217-1

Ⅰ. ①金… Ⅱ. ①葛… Ⅲ. ①佛教—寺廟—史料—南京市 Ⅳ. ①B947.253.1

中國版本圖書館CIP數據核字（2013）第109354號

書　　名　【金陵全書】（甲編·方志類·專志）
　　　　　金陵梵刹志

編 著 者　（明）葛寅亮　撰

出版發行　南京出版傳媒集團
　　　　　南 京 出 版 社
　　　　　社址：南京市老虎橋18-1號　　郵編：210018
　　　　　網址：http://www.njcbs.com　　淘寶網店：http://njpress.taobao.com
　　　　　電子信箱：njcbs1988@163.com
　　　　　聯系電話：025-83283871、83283864（營銷）　025-83283883（編務）

出 版 人　朱同芳

責任編輯　嚴行健　楊傳兵　劉芳源

裝幀設計　楊曉崗

責任印製　楊福彬

製　　版　南京新華豐製版有限公司

印　　刷　南京凱德印刷有限公司

開　　本　889×1194毫米　1/16

印　　張　119.25

版　　次　2013年7月第1版

印　　次　2013年7月第1次印刷

書　　號　ISBN 978-7-5533-0217-1

定　　價　3600.00元（全三冊）

金陵梵刹志卷五

中刹

銅井院 古刹

在朝陽門内東城栁樹灣地東去所統靈谷寺十二里背城面河城下伏道中引水從銅井口溢出達於御溝霖雨後泓湧可觀院因井得名雖僻隘不足匹諸中寺而撫檻臨流頗有濠梁之趣所領小刹曰十方律院吉祥菴迴龍菴龍華菴雙橋圓通菴慈憫菴

殿堂 佛殿叁楹 觀音堂叁楹 左伽藍堂壹楹 僧院壹房 基址貳畝

東至城墻 南至城墻

西至河 北至城墻

古蹟 銅井 水自伏道中來按志義井二一在石子崗七里鋪井闌鑄有僧慧廣名南唐保大三年置

小剎十方律院 卽三一庵

在朝陽門裏相望東城地南去所領銅井院二里係靈谷律堂下院

殿堂 山門壹座 常馱殿叁楹 大佛殿伍楹 左西方殿叁楹 右觀音殿伍楹 禪堂玖楹 僧院壹房 基址拾壹畝伍分

小剎吉祥菴

在都城內東城柳樹灣地北去所領銅井院二里

殿堂 伽藍堂壹楹 佛殿叁楹 僧院壹房 基址壹畝 東至單指揮菜園 南至水塘 西至官巷 北至官街

小剎廻龍菴

在都城朝陽門内東城椰樹灣地北去所領銅井院貳里

殿堂　山門壹座　關聖殿叁楹　佛殿叁楹　僧院壹房　基址貳畝　東至民房　西至戶部官宅　南至官河　北至戶部官地

小刹　龍華菴

在都城外東城水關地北去通濟門半里東北去所領銅井院伍里

殿堂　佛殿叁楹　僧院壹房　基址壹畝　東至大河　南至周義房　西至城牆　北至水關

小刹　雙橋門圓通菴

在郭城雙橋門外東城錦衣衛地東北去所領銅井院柒里北去通濟門貳里

殿堂　觀音殿伍楹　佛殿叁楹　僧院壹房　基址壹畝　東至民塘　南至官水溝　西至官水溝　北至蘆洲

小剎　慈憫庵

在都城外東城錦衣衛曾灣地東北去所領銅井院柒里北去通濟門貳里

殿堂　伽藍殿叁楹　佛殿叁楹　僧院壹房　基址肆畝　東至官街　南至官街　西至清水溝　北至李家地

金陵梵剎志卷五終

金陵梵刹志卷六

中刹 興善寺

在太平門内北安門後東城地洪武初年剏成化已亥重修東去所統靈谷寺十五里所領小刹曰觀音菴

殿堂 山門壹楹 天王殿叁楹 正佛殿叁楹 左伽藍殿叁楹 右祖師殿叁楹 大悲殿叁楹 藏經殿叁楹 方丈陸楹 僧院貳房 禪堂伍楹 齋堂伍楹 基址拾畝 東至石廠 南至北安門 西至官街 北至官街

小刹 觀音菴

在太平門内東城八府橋地東去所領興善寺貳里

殿堂 正佛殿叁楹 僧院壹房 基址伍畝 東至宋府園 南至宋府園 西至官街

北至火巷

金陵梵刹志卷六終

金陵梵剎志卷七

中剎　觀音閣　勑建

在都城外卽所統靈谷寺下院東去寺伍里西去朝陽門叁里　太宗文皇帝嘗顧瞻山麓有氣不散命工琢石肖形搆閣以記其處正德庚午燬越伍年募緣重建中石壁光瑩如鏡所領小剎曰苜蓿菴

殿堂　金剛殿叁楹　觀音殿叁楹　左碑亭壹座　右碑亭壹座　正佛殿叁楹　毘盧殿叁楹　後捲蓬壹楹　官房貳拾楹　僧院拾房　基址壹百貳拾玖丈　東至潘家火巷　西至玉家火巷　南至官街　北至民房

文　重修觀音閣記略　明南兵部尚書太原喬宇

南都第一山曰鍾山跨江南北諸山及江漢諸水以獨鍾其秀望之者時若祥雲紫氣擁護旋繞我　太祖高皇帝陵廟在焉陵之東南有閣曰觀音閣正德庚午春罹鬱攸之變太監蕭公通圖嗣興之越五年甲戌始克就緒又明年而閣成蕭公請金言曰公知茲閣之始乎我　太宗文皇帝纘承大統綏靖四方追惟　聖祖肇建丕基祗謁陵廟寔興永慕顧瞻山麓有氣輪菌芬郁良久不散異之命工琢石肖形構閣以紀其處召方外之有戒行者特虔焚修以仰荅　聖祖在天之靈意天人之格可以誠通而橋山劍舄之所瑞應禎祥之集又感通之所必有者所以

祝鴻釐延景福匪徒爲象教設也方閣之災公謀之諸同官所助金總千有餘兩筮日授事厥既經營庶工翕聚殿堂門廡煥焉一新都人士來觀妥靈有舍祈休有所棲僧有廬莫不忻然以喜如履樂界臨淨土而心目爲之豁如也　正德十六年辛巳

小刹苜蓿菴

在都城外東城留守衛地洪武時建東去所領觀音閣二里西去朝陽門一里

殿堂　伽藍堂壹楹　觀音殿叁楹　正佛殿叁楹　僧院壹房　基址貳畝

東至官路　南至官路

西至水溝　北至民園

金陵梵剎志卷八

中剎 **佛國寺** 古剎 敕賜

在都城外東城地南去太平門二里東南去所統靈谷寺十八里蔣山西畔古華嚴菴景泰間僧妙慶募建奏賜今額所領小剎曰普濟菴清果寺梵惠院茶亭菴地藏菴

殿堂 山門叁楹 鐘樓壹座 天王殿叁楹 左伽藍殿叁楹 右祖師殿叁楹 正佛殿叁楹 僧院肆房 基址叁拾伍畝 東至本寺官墳 南至刑部墻 西至官路 北至官路

公產 田山共貳拾貳畝叁分

藏經護勅　文同靈谷

㊀佛國寺記略　明禮部尚書毘陵胡濙

寺在京都太平門外二里許相傳古華藏菴也無碑可考不知創始何時荒廢已久基址猶存形勢雄偉最爲勝處僧妙慶化募衆緣鳩工集材誅茅剪棘凡殿堂廊廡以次建立鍾魚振揚香積芬苾繚以穹垣種植松栢於景泰五年六月十有八日奏　請賜額爲佛國寺　欽賜藏經勅諭永爲護持　天順元年八月

㊀遊佛國寺　明王韋

嶂開佳麗地門對泬寥天幽室憐容膝塵勞喜息肩望窮

鴻鴈外歌向菊花前回首重城路鐘聲隔暮煙

小刹 普濟菴

在都城太平門外半里東城牧馬所地西北去所領佛國寺二里與城隣近

殿堂 伽藍殿楹叁 佛殿楹叁 觀音堂楹壹 僧院房壹 基址貳畝 東至空地 南至城墻 西至官街 北至荷花塘

小刹 清果寺

在都城外東城牧馬所紅沙群地南去所領佛國寺十三里太平門十六里

殿堂 山門楹壹 左鐘樓座壹 佛殿楹叁 法堂殿楹伍 僧院房叁 基址

叁畝東至丘家山　南至官路　西至雷家山　北至劉家山

公產田地山塘共壹拾柒畝貳分玖厘

小剎梵惠院

在都城外東城興武衛赤馬群地南去所領佛國寺十一里太平門十三里

殿堂山門叁楹　左鍾樓壹座　佛殿叁楹　僧院壹房　基址貳畝東至本院塘　南至本院田　西至本院地　北至本院山

公產田地山塘共壹拾柒畝貳分壹厘

小剎茶亭菴

在都城外東城牧馬所玉臉群地南去所領佛國寺八

里太平門十里

殿堂　山門叁楹　觀音殿叁楹　佛殿叁楹　華藏樓叁楹　僧院壹房　基址肆畝　東至官街　西至官街　南至官街　北至周家田

公產　田地山塘共貳拾玖畝玖分玖釐

小剎　地藏庵

在都城外東城牧馬所涼馬群地西北去所領佛國寺一里南去太平門二里

殿堂　伽藍殿叁楹　地藏殿叁楹　僧院壹房　基址貳畝　東至皇墻　南至大橋　西至官路　北至胡鸞房

金陵梵卷六　靈谷寺

金陵梵刹志卷九

中刹 東山翼善寺 古刹　勅賜

在郭城東南北去所統靈谷寺三十里正陽門十七里東城地晉謝太傅高畍東山及與張玄圍碁賭墅即其處梁資福院武帝建淨名院神僧寳公說法其間宋元改淨名寺　國朝正統十年重建　賜今額所領小刹曰廣惠寺祈澤寺天寧寺雲居寺莊嚴寺

殿堂　山門叄楹　天王殿叄楹　正佛殿伍楹　左觀音殿叄楹　右地藏殿叄楹　諸天殿伍楹　左伽藍殿壹楹　右祖師殿叄楹　寳公殿叄楹　靈官堂壹楹　方丈叄楹　僧院拾捌房　基址拾畝東至騎子美民山　南至

官路 西至孫明

山 北至楊家山

公產地山 共陸拾肆畝玖分貳厘

山水東山 一名土山周四里高二十丈無巖石故曰土山輿地志云山下有湖自方山至京師此爲半道今謂此山下道爲半邏　晉石季龍入冠蔡謨所戍自土山至江乘　沈約郊居賦睎巽隅兮縱目卽堆塚而流眄雖東山之嶇嶁乃文靖之所宴

古蹟布塞亭 實錄吳景帝自會稽至曲阿有老翁干帝逮行卽日進至布塞亭孫綝迎於土山之半野

土山墅 秦苻堅入寇謝安命駕出土山墅張晏與張玄圍棊賭別墅卽此時樓館林木甚盛今無存

文

翼善寺碑記略　明禮部侍郎陳璉

土山有寺一區名曰東山淨名寺舊名資福院世傳以

帝欲至金陵有老翁干帝速行起自會稽卽日至布塞
孫綝迎帝於土山之半壁而茲山之名始勝晉丞相謝安
謝事棲止於斯姪謝玄入而問訃丞相高卧於山間怡然
無懼色玄復請遂命駕出張宴於土山之陽而茲山之名
益振至梁武帝建名淨名院有神僧寶公者遍遊名山求
棲息之所覩是山之勝遂講經說法於其間由是土山之
勝益彰而淨名之境益顯矣下自宋元改額淨名寺以至
於今殿廡僧舍年深已毀及半惟佛殿一所獨存於是袁
智海等募緣貲財大作修崇巍然爲創香火增崇僧行日
盛誠足以表茲山之勝槩也正統十年六月初十日題奏

禮部尚書胡濙奉　旨與僧翼善禪寺因識其事於久遠云　正統乙丑八月十五日

詩

謝公墅歌　唐温庭筠

朱雀航南繞香陌謝郎東墅連春碧鳩眠高柳日方融綺榭飄飆紫庭客文楸方罫花參差心陣未成星滿池四座無喧梧竹靜金蟬玉柄俱持頤對局含情見千里都城已得虵尾江南王氣繫疎襟未許符堅過淮水

土山　唐李白

不向東山久薔薇幾度花白雲還自散明月落誰家

遊謝氏山亭　謝靈運故宅在土山　唐李白

偷老臥江海再歡天地清病閒久寂寞歲物徒芬榮借君西池遊聊以散我情掃雪松下去捫蘿石道行謝公池塘上春草颯已生花枝拂人來山鳥向我鳴田家有美酒落日與之傾醉罷弄歸月遙欣稚子迎

土山

明黃姬水

昔臥會稽客因留東山名宛然林泉趣猶是謝公情遠墅草全沒空門臺半傾誰知遊衍者偏解慰蒼生

東山

明焦竑

謝墅維青舫蕭臺接紫城到門雙樹立隔岸亂峰迎龍臥曾先達鴻冥愧獨行蒼生誰繫望懷古重含情

小刹 廣惠寺

在郭城上方門外東城地西北去所領翼善寺一里去通濟門二十五里

殿堂 佛殿叁楹 僧院壹房 基址叁畝東至官路西至蕭港南至竹山村北至官路

小刹 祈澤寺 古刹

在郭城高橋門外東城地南去所領翼善寺十里西去正陽門三十里即祈澤山宋少帝景平元年建名祈澤治平寺會昌中廢南唐昇元間復宋治平間改祈澤寺元至正二年重建 國朝嘉靖十二年修葺爲祈禱雨澤之所連彭城接青龍泉流澂徹如鏡

殿堂 金剛殿叁楹 天王殿叁楹 正佛殿伍楹 左觀音殿叁楹 鍾樓壹座 右地藏殿叁楹 龍王殿貳層共陸楹 僧院叁房 基址貳拾壹畝東至本寺山項南至官路西至官水滿北至青龍山

公產 田地山共叁拾陸畝玖分伍厘

山水 祈澤山高五十丈周十里 墮雲峰寺左山上亂石峪岈若飛雲而墮 僊人巖在寺墻外起伏如仙人座 翻經平寺後山上廣可盈畝平若掌上有流水瘐環曲如鑿登則四山入望山最佳處 祈澤泉寺左

古蹟 雙文杏在殿墀內相傳為初法師手植大三四圍曾經雷火 南唐斷碑舊埋殿角盛時泰出之其文首云晉水齊雲山釋無名後云秦正之月元年與德謙及保大惟新諸字餘殘缺不可讀以上俱存

詩

遊祈澤寺　宋王安石

駕言東南遊，午飯投僧館。山白梅蘂長，林黄栁芽短。苓箵洞際來，畧彴桑間斷。春暎一川明，雪消千壑漫。魚隨竹影浮，鳥惧人聲散。玩物豈能畱，干時吾自懶。

墮雲峰　明盛時泰

彷彿晴雲氣，墮影青林隈。有日從龍去，長空起迅雷。

仙人岩　明盛時泰

名山多靈蹤，古仙採仙迹。白鶴忽歸來，疑是雙飛舄。

翻經平　明盛時泰

道人持經函，坐向盤陀讀。經罷寂無聲，松風起巖谷。

小刹

天寧寺 古刹

在郭城高橋門外東城地北去通濟門三十七里西南去所領翼善寺十五里宋治平二年建　國朝正統間重建復燬今僅僧舍數椽山林幽迥野泉散落人跡鮮至

殿堂　山門叁　佛殿止存基址　僧院叁房　基址伍畝　東至張家山　南至王家山　西至青龍山　北至王家山

公產　田山塘共伍拾肆畝壹分

文　天寧寺遊記略　明按察副使顧璘

正德丁丑春三月九日予兄東橋先生赴官台州李飲虹

王南原羅半窻諸君偕予出餞于祈澤寺寺在高橋門外十里有龍泉古木之勝酒數行東橋別去予與諸君共宿祈澤舊聞隣寺號天寧者境絶幽敻次早邀諸君遊詢祈澤僧多詒以道遠且險不可至予意良阻王羅二君鋭意欲行遂從僧借小童導騎緣寺前逕登山歷墟墓數處即平野曠然兩傍皆童山環抱縱彎行里餘見山盡處如門闕狀闕外諸山濃淡晦明如畫方愛玩未已覺山腹間隱隱有樓閣在空際到即寺也衆皆大喜棄馬振衣緣石逕而登逕且半聞陂陁下灌莽中有聲洶洶如雷奔風怒予謂諸君此當有異泉乃遣人踪跡之徐步入寺寺僧多出

乞食獨老僧惠禧者見客至似喜延入室焚香供茗甚肅室亦雅潔不類荒山少憩復出寺先所遣人來報山下果得泉但荒翳不可入予奮然先行道諸君藤稍竹刺時絓冠袂輒絶之以去稍下見泉珠零玉散飛落石澗中可十數處不知所從來亦莫能極其所止澗濶尺餘兩傍及底皆山石自然所成玲瓏嶔岈清泉如空碧下漬予喜呼酒飲諸君擇泉流平緩處列坐泛觴各引滿數觥而出回及山半得泉脉樹間乃平地湧出不甚瀰溢不知何緣流衍之廣乃爾既登復觴寺外石上數行乃上馬歸

（詩）遊天寧寺

明王韋

問年看井幹結夏閉山門路夾雙峰起泉流百道喧葡萄纏廢棟蛺蝶舞荒園窈窕堪棲隱逢人未可言

小刹雲居寺古刹

在郭城高橋門外東城地西去正陽門四十里西南去所領翼善寺三十里鍾山舊有雲居寺及登覽詩今相去尚遠或移改無考因另入鍾山廢寺

殿堂山門叁楹觀音殿叁楹右伽藍殿叁楹僧院壹房基址叁畝

東至官溝　南至官溝　西至八甲民田　北至太子山

公產田地塘共壹拾貳畝叁厘

小刹莊嚴寺古刹

在郭城高橋門外鳳城鄉東城地西去正陽門四十七里西南去所領翼善寺二十五里實錄謝尚以永和四年捨宅造莊嚴寺宋大明中路另造莊嚴寺于西藥園改爲謝鎮西寺陳大建元年燬後五年豫州刺史程文秀修復孝宣帝勑改興嚴寺按元金陵新志謝尚莊嚴寺已改興嚴寺今寺仍名莊嚴考謝尚宅又在城中竹格渡不知何年徙此據其寺唐貞觀巳酉閒牛頭惠忠禪師移住建法堂元季復燬　國朝永樂閒僧眞常重建

殿堂　山門叁楹　佛殿叁楹　左伽藍堂壹楹　僧院貳房　基址拾伍畝

東至唐戲民房　西至官路　南至本寺冲田　北至王鎮民地

公產田塘共壹拾柒畝貳分陸厘

人物

宋曇斌南陽人融冶百年陶貫諸部開筵講說四遠遠皆至孝建初勅王玄謨資發出京陳郡袁粲嘉斌行觧嘗令中書舍人巢尚介意欲試之斌不屈粲廼躬自往候毋勸斌數覲天子斌曰貧道方外之人豈宜與天子同遊粲益高之後請爲毋師宋建平王景素亦諮其戒範元嶶中卒于莊嚴寺

齊僧旻有碑傳　道慧止靈曜寺楮澄謝超宗名重當時並見推禮慧以毋老欲存資奉乃移憩莊嚴寺毋憐其志復出家爲道捨宅爲寺不遠精舍葬于鍾山之陽陳郡謝超宗爲造碑銘

唐慧涉會稽人郎東晉太傅安之後戒節孤峻好寂爲樂不棲名聞大曆初于金陵莊嚴寺遇牛頭山忠禪師一言知歸遂命入室授以法要洎忠捐世踵武玆嶺問道者衆四維霑洽時稱師藝文與草堂廬嶽爭美當代云　惠忠配莊嚴寺聞牛頭山威禪師襲達摩蹤得佛法印遂造山禮謁夙夜精勵常頭陀山

澤飲泉藉草一食延時每用一鐺衆味同煮用畢[illegible]於樹杪方復繩牀晏坐終日如杌衣不易時寒暑一衲積四十年遂彰靈應州牧明賢頻詣山禮謁再請至郡施化道俗天寶初年始出止莊嚴傳詳弘覺寺

附叅講樓覽（晉）謝尚 永和四年捨宅造寺

（文）

大莊嚴寺碑銘　隋開府儀同三司江總

蓋聞僧伽水濱波斯創以禪地醍醐山頂含那肇其梵域此乃住劫之勝因上方之妙範於是俯察地勢懸之以水仰惟星極揆之以日百堵咸作千坊洞啓前望則紅塵四合見三市之盈虛後睇則紫閣九重連雙闕之聳峭加以園習歡喜水成功德池溢甘露不因玉掌樹搖音樂無待金奏熏鑪夜爇遙來海岸之香法鼓早讙非動泗濱之石

擢莖金表跨八萬之俱成界道銀繩面四衢而拓製廁壁綴珠凌丹霞而結宇雕光鏤采望紫極而開軒俯看驚電影徹瑠璃之道逶拖宛虹光徧水精之域層楹刻桷風伯走而未升靈橑飛甍雨師攀而不逮銘曰灼爍金莖崔嵬鐵表翔鶤仰翥威鳳靈矯木宻聯綿香泥繚繞日圖檐外荷披楝杪翠落陰亂朱填陽烏高僧累萃願學滋多弘宣方等傳綜圍陁皆傷寸　竝悟天波式旌鏤碣無待雕戈標年剎土比數恒河

莊嚴寺重興記略　明釋印菴

寺在上元之鳳城鄉距都城四十里許東晉永和四年謝

尚捨宅爲莊嚴寺宋大明中路后於宣陽門外太祖西藥園造莊嚴寺改此爲謝鎮西寺至陳大建元年毀於延燎後五年豫州刺史程文秀更加修復唐貞觀己酉牛頭惠忠禪師移居莊嚴寺建法堂元季毀於兵燹悉爲荒鐵之區 大明開國四海乂安在處佛寺廢而復興主僧眞常奮志募緣建造興復于洪武戊午畢工於永樂癸卯復置田畝以贍衆食而寺額從舊名焉 成化元年仲呂月

傳

莊嚴寺僧旻法師碑　梁元帝

夫宏才妙物雲液之所降生獨振孤標倫類之所遠絕是故隋光燭魏非折木之恒珍和璧入秦豈潤山之常寶僧

旻法師盖天地之淳精宇宙之瓌琦本姓孫氏有吳開國大皇帝其先也法師道靄二儀德充四海含春夏之生長抱日月之貞明辭旨清新置言閑遠千門萬戶必臻其輿九部五時若指諸掌坦然夷易豁爾洞開故緇素結轍華戎延道晨風之鬱北林龍魚之趨深澤哲人云逝指南誰屬銘曰永離百非畢之寂滅苟云未樹共歸今轍方墳結構伽藍罷設朱火一潛青松長列

僧旻法師傳略　高僧傳

釋僧旻家于吳郡之富春吳大皇帝其先也七歲出家住虎丘西山寺特進張緒見而歎曰松栢雖小已有凌雲

氣由是顯譽年十三出都住白馬寺寺僧多以轉讀唱道爲業旻風韻清遠了不屑意年十六移住莊嚴尚書令王儉延請僧宗講涅槃經旻扣問聯環言皆摧敵儉曰若竺道生入長安姚興於逍遙園見之使難道融義往復百翻言無不切衆皆覩其風神服其英秀今此旻法師超悟天體性極照窮言必典詣能使前無横陣便是過之遠矣文宣嘗請柔次二法師於普弘寺共講成實大致通勝冠蓋成陰旻於末席論議詞旨清新致言宏邈往復神應聽者傾屬次公乃放麈尾而歎曰老夫受業於彭城精思　之五聚有十五番以爲難窟每恨不逢勍敵必欲研盡自至

金陵累年始見竭於今日矣且試思之晚講當答及晚上講裁復數交詞義遂擁次公動容顧四座曰後生可畏斯言信矣年二十六永明十年始於興福寺講成實論先輩法師高視當世排競下筵其會如市山棲邑寺莫不掩扉畢集衣冠士子四衢輻湊坐皆重膝不謂爲迮言雖竟日無起疲倦晉安太守彭城劉業嘗謂旻曰法師經論通博何以立義多儒答曰宋世貴道生頓悟以通經齊時重僧柔影毘曇以講論貧道謹依經文文玄則玄文儒則儒耳永元元年勅僧局請三十僧入華林園夏講僧正擬旻爲法主旻止之或曰何故答曰此乃内潤法師不能外益學

士非謂講者由是譽傳遐邇名動京師瑯琊王仲寶吴人
張思光學冠當時清貞獨絶並投分請交中以縞帶值齊
曆横流道屬昏詖因避地徐部仍受請入吴法輪繼轉勝
幢屢建皆隨根獲潤有聞南北皇梁膺運乃翻然自遠言
從帝則以天監五年遊于都輦天子禮接下筵亟深睠悦
勑僧正慧超銜詔到房欲屈與法寵法雲汝南周捨等入
華林園道義自兹已後優位日隆六年制注般若經以通
大訓又勑於惠輪殿講勝鬘經帝自臨聽仍選才學道俗
釋僧智僧晃臨川王記室東莞劉勰等三十人同集上定
林寺抄一切經論以類相從凡八十卷皆令取衷於旻十

一年春忽感風疾後雖小間心猶忘誤言語遲蹇旻曰自登座講說已二十年如見此病例無平復講事盡矣乃修飾房內隔立道場日夜禮懺後吳郡太守張克吳興太守謝覽各遣僚佐至都表上延請有勅給船仗資糧發遣二郡迎候舟檝滿川京師學士雲隨霧合中途守宰莫不郊迎晉陵太守蔡撙出候門迎之歎曰昔仲尼素王於周今旻公又素王於梁矣天監末年下勅於莊嚴寺建八座法輪講者五僧以年臘相次旻最處後衆徒彌盛莊嚴講堂宋世祖所立欒櫨增映延袤遐遠至於是日不容聽衆執事啟聞有勅聽停講五十日悉[illegible]窻戶四出簷霤又進給

牀五十張猶爲迫迮桃棖摧折日有十數少與齊人張融謝朓友善天人才學通人莫不致禮雖居重名不嘉榮勢閑處一室簡通豪右衆人多恨之唯吴郡陸倕博學自居名位通顯早崇禮敬旻亦欣相器重時爲太子中庶僕從到房旻稱疾不見倕欣然曰此誠弟子所望也普通之後先疾連發彌懷退靜夜還虎丘人無知者時蕭昂出守吴興欲過山展禮山主智遷先知以告旻旻曰吾山藪病人無事見貴二千石昔戴顒隱居北嶺宋江夏王入山詣之高臥牖下不與相見吾雖德薄請附戴公之事矣及蕭至旻從後門而遁其年皇太子遣通事舍人何思澄銜命致

禮贈以几杖鑪奩褥席麈尾拂扇等五年下勅延還移住開善使所在備禮發遣不得循常以稽天望於路增劇未堪山寺權停莊嚴因遂彌留以至大漸中使參候相望馳道以大通八年二月一日清旦卒于寺房春秋六十一勅以其月六日窆于鍾山之開善墓所隱士陳留阮孝緒爲著墓誌皇太子湘東王並爲製文樹于墓側徵士何僩著文立于本寺初旻嘗樂于禪默乃依所立義試遍安心旬日之間遂得入定問諸禪師皆云門戶雖殊造寂不異旻嘗造彌勒佛并諸供具朝夕禮謁乃夢見彌勒佛遣化菩薩送菩提樹與之菩薩曰菩提樹者梁言道場樹也弟子

頗宣其言旻聞而慕之曰禮有六夢正夢唯一乃是好惡之先徵故周立占夢之官後代廢之正以俗人澆僞亟多假託吾前所夢乃心想耳汝勿傳之以莊嚴寺門及諸墻宇古製不工又吳虎丘山西寺朽壞日久並加繕改事盡弘麗旻所造經像全不封附須者便給放生布施未嘗倦廢所著論疏雜集四聲指歸詩譜決疑等百有餘卷流世

金陵梵刹志卷十

中刹 方山定林寺 古刹

在郭城高橋門外北去正陽門三十里所統靈谷寺四十里東城天印山後宋乾道末年秦高僧善鑑創按上定林寺在鍾山寺廢因請其額于此遂名定林元至正間重修　國朝洪治五年重建山林幽靚齊武欲起離宫即此所領小刹曰東霞寺外永福寺

殿堂　金剛殿叄楹　天王殿叄楹　左鐘樓　右禪堂　正佛殿叄楹　左觀音殿叄楹　右輪藏殿叄楹　毘盧殿伍楹　僧院伍房　基址五畝　東至許家山　南至方山　西至龍山　北至岳家山

公產 田山塘 共捌拾壹畝貳分

山水 方山 高一百一十六丈周二十七里圖經云四面方如城東南有水下注長塘流溉平陸丹陽記曰山形方如印故曰方山亦名天印山 秦始皇時術者言金陵有天子氣乃遣朱衣三千鑿方山流淮水以斷脉 齊武帝嘗欲於天印山起離宮期勝新林苑徐孝嗣荅曰繞黄山欵牛首乃盛漢之事今江南未廣願少留神乃止 見世說 方山埭 建康實録吳赤烏八年使校尉陳勳發屯田兵于方山南截淮立埭號方山埭又按南史湖熟縣方山埭高峻冬月行旅以爲難齊明帝使沈瑀修之乃開四洪斷行客 石龍池 山頂大旱不涸 八卦泉 山後

古蹟 乳鐘 即景陽鐘有一百八乳乳各異聲相傳有勲貴取去叩之無聲返寺如故 見存

人物 宋 曇摩蜜多 寂多天性凝靜雅愛山水以爲鍾山鎮岳埒美嵩華常嘆下寺基構臨澗低側於是乘高相地揆卜山勢以元嘉十二年斬木刋石營建上寺 略 法願 有傳 僧遠 有傳

畧

道嵩沉隱有志用好律學誦經三十萬言性好捨瓶衣外無兼物宋元嘉中止鍾山定林寺人有造者輒爲説法訓獎以代饌焉

慧彌志修遠離叢谷峻絶負錫獨前少誦大品精修三昧乃觀化京師止鍾山定林足不出山三十餘年六時懺誦必爲衆先

法獻元嘉十六年止定林上寺後西遊于闐獲佛牙及龜茲國金錍鍱像賫還京師行律精純德爲物範永明中被勑與長干玄暢同爲僧主分任南北兩岸

僧鏡家貧母亡廬墓泣血服畢出家大闡經論司空東海徐湛之重其風素請爲一門之師陳郡謝靈運以德音致款宋世祖勑止定林下寺頻建法聚聽衆雲集著有法華維摩尼義疏并毘曇玄論

〔齊〕僧柔齊太祖創業之始世祖襲圖之日皆建立招提旁求義士以柔耆素有聞徵書歲及文宣諸王再三招請乃更出京止定林寺躬爲元匠四遠欽服

法通入京初止莊嚴後憇定林上寺棲閑隱素履道惟勤齊竟陵文宣王丞相文獻王皆紆貴慕德親承頂禮陳郡謝舉吴國陸杲尋陽張孝秀並策步山門禀其戒法晦跡鍾阜三十餘載坐禪誦念禮懺精苦

僧佑見報恩寺〔梁傳〕

大士弘有傳附祭講棲覽　晉何尚之致仕退居方山　梁劉慧地有傳

文

方山上定林寺記

宋免解進士建康府校正書籍朱舜庸

古者四民各有所居故居士於學居農於田居工於肆居商於市是時釋老二氏未興其奚居此王政之所必無也迨漢之東始居僧於寺歷代相因訖于今釋教之盛極矣凡城郭山林寺之占勝者多而其徒之居山尤爲人所重豈不以是道之妙非求之於寂寞之濱則不可得苟其徒不以精勤枯淡爲心亦必不能久安於此其取重以是乎方山上定林寺蓋即山而居者也當乾道末年有泰高僧善鑑始來是山結廬行道未幾遠近信慕施者踵至於是

卒其徒甋泉蒔松徙石闢塗土木之工次第而舉無何有殿以奉佛有堂以會法有室以安衆以至門廡庖湢莫不畢具方其事之權輿也即詣府請移鍾山梁朝廢寺上定林額於此其地故有山川登臨之美爲荆榛所蔽爲狐狸所嘷爲樵夫牧子所過而不睨不知幾年一旦雪脊朱甍隱然出於煙霏空翠間號清淨伽藍信其地有待歟鑑尋示滅其弟子義瓊主之已而令義珹代焉繇薦得人閱三十稔隄瀕河之田而歲有計建轉輪之藏而日有資此其師疇昔之志卒待瓊珹而後成其勤至矣洎珹領事猶以身先人盖思備其所闕壯其所居以稱其山之高且大也

駸駸乎與諸雄刹亢一日踵僕門告曰寺之成已久曾無紀述惟累世經營之難恐寖就曖昧子與我善且習知其詳盍記之僕固辭不獲則爲叙其本末又從而爲之説釋氏以寂滅爲宗以苦空爲行以慈悲爲願以遠去塵囂爲高從上諸祖師以是道密相付囑故其建立往往壯巖谷荒寒之境疑若過清難居而必棲其徒於此者蓋使其朝夕所接不見異物無害於心惟佛法是求如此則於一切經行坐卧去處覺水鳥風林無非宣揚第一義諦惟恐山之不深林之不密此所以爲真實堅固不可退轉也歟今定林爲寺誠得其所而鑑之遺範所謂向钁頭邊取入者

耶　嘉定庚辰正月望

方山重修上定林寺記　元翰林學士虞集

集慶郡城東南出三十里有方山焉敦厚方正巋然在望於地勢爲貴重者也故宋乾道中蜀僧善鑑築佛寺于山半請上定林之名而名之度弟子以居二百年于茲矣世有廣學博聞之士出于其間盖人境相成爲勝者也國家至元初開講席於郡之天禧真定德公實來上禀朝廷之旨下爲民庶之歸宣通要言闡見開悟居數十年學者日盛德公之歿用其法闍維之烟熖所及凡竹石林木皆成舍利紺碧圓潔人爭取而奉之以求福焉嗣其講者則无

宮戒壇東魯儒公也志樂閒退委而去之自方山來主其席宣慈恩之教沛然於是邦者則退菴無公其人也天曆天子久潛金陵淸燕之暇洗心於佛乘凡行道明教之士莫不知名歲已巳無公與二三大僧同朝于京師其徒嵩公偕行召見講法深稱旨意寵遇之厚久留弗遣明年俄示寂焉上加悶悼思所以繼之者平山嵩公簡在上心即遣近臣今湖廣行中書省左丞王士弘浙西廉使伯顏帖木兒錫命嵩公主天禧之席嵩公曰上恩深重非所敢當況我遵行有絕流演公在請以命之上嘉其能讓不違其請又興歎若曰雖佛氏之言無所忌諱無公旣退就寂滅

又以絶流繼之非所以廣學海而興大乘也時虞集待立
奎章詔爲更之集以上意更之曰道源於是命士弘傳詔
俾演主講于集慶而嵩次之賜伽梨衣織金爲文妙麗殊
勝上嘗奉觀音大士香像於内閣及北還出付演嵩崇奉
之至是兩賜錢凡伍萬餘緡俾爲閣以居之日致瓜華之
供皆士弘所傳肯也既而衣以重幣錫以名香加以美號
恩數之隆演嵩二公蓋無異也及嵩繼演今上皇帝御極
嘉惠法林金衣香幣之賜名號之美亦一再至而天禧之
盛洋溢于方山之表矣定林三出名士寵光相承泛觀東
南未有能及之者矣嵩公思定林之舊而受業師妙至在

焉不忍忘其初也乃出衣盂之資與土木之役加意于定林大修寶殿經藏傍及修廊與凡屋之爲羽翼者弊而圖全與更新無異所特作者寺之僧堂三門鑄大鐘建樓以居之買田得若干畝取其租以備歲月之完葺者焉功成令浙西廉使伯顏帖木兒至中與集皆同朝過行臺見嵩之成績以書相告請爲之記焉其來者徑山第一坐道甫蚤受業於定林者也至于山中相從易朔而後從容及之可謂委曲者矣集嘗聞之衆生自無始以來執着諸有以受苦極諸佛悲憫示以空法又懼滯於空寂中道出焉是故無有亦有無有亦空則妙有真空無間然矣使彼蠢然

含靈之衆日用而不知者以冰釋疑情頓識根本此吾佛教意自世祖至于今上皇帝列聖一心崇是教以福斯民有在於是其可無以記之哉嵩公身任講事之重不違世法又廣刹海以表其初心道甫分席之山其所以來告者不墮於有爲不滞於無爲故集得以緒言記之也如此

大元至正五年乙酉四月

重建方山定林寺記略　明南太常少卿翟瑛

金陵據天下之形勝爲四方之都會去城東南三十里許其峰巒競秀望之巋然端重而蒼翠者天印山也風氣凝聚林木蓊鬱隱映於林壑之間者定林寺也宋乾道間善

鑑法師始建其寺至今五百餘年矣　國朝有僧曰道泰者嘗住持是寺徧叩諸檀越建大佛殿四天王殿時天順甲申金陵居士朱福珎慨然罄其所積之貲而一新之其所建者若毘盧殿大士殿金剛殿輪藏殿與夫大藏尊經及諸供罷之類罔不周備其餘齋堂禪室廊廡方丈山門又福珎之子鑑鈴鏞鐸之所完皆次第而一新之誠可謂規模弘麗矣經始於天順庚辰落成於成化壬寅

定林寺沙門表請斷殺議　廣弘明集

梁高祖武皇帝臨、下十二年下詔去宗廟犧牲修行佛戒蔬食斷欲上定　寺沙門僧祐龍華邑正栢超度等上啓云京畿既是福地而鮮食之族猶布筌網並驅之客尚馳鷹犬非所以仰稱皇朝優洽之旨請丹陽琅琊二境水陸並不得蒐捕勑付尚書詳之議郎江貺以爲聖人之道以百姓爲心仁者之化以躬行被物皇德好生協于上下日就月將自然改俗一朝抑絕容恐愚民且獵山之人例堪被涉捕水之客不憚風波江寧有禁即達牛渚延陵不許便往陽羨取生之地雖異殺生之數是同空有防育之制無益全生之術兼都令史王逮以爲京邑翼翼四方所視民漸至化必被萬國今祁寒暑雨人尚無怨況去俗入眞所以可悅謂斷之爲是左丞謝幾卿曰不殺之禮誠如

王述所議然聖人爲教亦與俗推移卽之事迹恐不宜偏斷若二郡獨有此禁更似外道謂不殺戒皆有界域因時之宜敬同議郎江晛議尚書臣亶僕射臣昂全瑩巳下並同晛議帝使周舍難晛曰禮云君子遠庖廚血氣不身翦見生不忍其死聞聲不食其肉此皆卽目興仁非關及遠三驅之禮向我者舍背我者射於是依王述議遂斷又勅太醫不得以生類合藥公家織官紋錦並斷仙人鳥獸之形以爲褻衣裁剪有乖仁恕至迺祈告天地宗廟以去殺之理被之含識郊廟皆以麪爲牲牷其饗萬國用菜蔬去生類其山川諸祀則否乃勅有司曰近以神實愛民不責

無識所貴誠信非尚血膋凡有水旱之患使歸咎在上不同牲牢止告知而已而萬姓祈求諂𪟝爲事山川小祗難期正直晴雨或爭容市民怨愚夫滯習難用理移自今祈請報答可如俗法所用以身賽咎事自依前前臣曰夫神道茫昧求諸不一或尚血腥之祀或歆蘊藻之誠設教隨時貴其爲善其誠無惑何往不通若祭享理無則四代之風爲爽神明實有三世之道爲弘語其無不待牲牷之潔據其有宜存去殺之仁周文禴祭由來尚矣苟有明德神其吐諸而以麪爲牲於義未達方之紋錦將不矛盾乎

集程伯淳語　法言志

程伯淳嘗曰佛說光明變玩初莫喻其旨後看華嚴合論却說得分曉應機破惑名之為光心垢解脫名之為明只是喻自心光明便能得入光照無盡世界公每見釋子讀佛書端莊整肅乃語學者曰凡看經書必當如此今之讀書者形容先自怠惰了如何存主得一日過定林寺偶見衆僧入堂周旋步武威儀濟濟一坐一起並準清規乃歎曰三代禮樂盡在是矣

（傳）釋法願傳畧　高僧傳

釋法願先穎川長社人祖世避難移居吳興長城願常為梅根治監有施慎民代之先時文書未校慎民遂偏嘗其

負願乃訴求分罪有旨免愼民死除願爲新道令家本事神身習鼓舞世間雜伎及著爻占相皆備盡其妙嘗以鏡照面云我不久當見天子於是出都住沈橋以傭相自業宗慤沈慶之微時經請願相願曰宗君應爲三州刺史沈君當位極三公如是歷相衆人記其近事所驗非一遂有聞於宋太祖太祖見之取東治囚及一奴美顏色者飾以衣冠令願相之願指囚曰君多危難下階便應著鉗鏁謂奴曰君是下賤人乃暫得免耶帝異之卽勅住後堂知陰陽秘術後少時啟求出家三啟方遂爲上定林遠公弟子及孝武龍飛宗慤出鎮廣州攜願同往奉爲五戒之師會

譙王構逆羽檄嶺南殻以諮願願曰隨君來誤殺人令太
白犯南斗法應殺大臣宜速改計必得大勲果如願言殻
遷豫州刺史復携同行及竟陵王誕舉事願陳諫亦然願
後與刺史共欲減衆僧床脚令依八指之制時沙門僧導
獨步江西謂願濫匡其士頗有不平之色遂致聞於孝武
即勑願還都帝問願何致故詐菜食願荅菜食已來十餘
年帝勑直閤沈攸之強逼以肉遂折前兩齒不廻其操帝
大怒勑罷道作廣武將軍直華林佛殿願雖形同俗人而
棲心禪戒未甞虧節有頃帝崩昭太后令聽還道太始六
年校長生捨宅爲寺名曰正勝請願居之齊高帝親事幼

主恒有不測之憂每以諮願願曰後七月當定果如其言及高帝卽位事以師禮武帝嗣興亦盡師敬永明二年願遭兄喪啟乞還鄉至鄉少時勑旨重疊願後出憩在湘宫鑾駕自幸降寺省慰願云脚疾未消不堪相見帝乃轉蹕而去文惠太子嘗往寺問訊願旣不命令坐文惠作禮而立乃謂願曰葆吹淸鐃以爲供養其福云何願曰昔菩薩八萬妓樂供養佛尚不如至心令吹竹管子打死牛皮此何足道其王侯妃主及四遠士庶並從受戒悉遵師禮願往必直前無有通白咸致隨喜日盈萬計願隨以修福未嘗蓄聚或雇人禮佛或借人持齋或糴米穀散飼魚鳥或

貿易飲食賑給因徒後入定三日不食忽語弟子云汝等失飯籮矣俄而寢疾時寺側遭燒寺在下風煙燄將及弟子欲輿願出寺願曰佛若被燒我何用活卽苦心歸命於是三面皆焚唯寺不燼　齊永元二年卒

釋僧遠傳畧　高僧傳

釋僧遠渤海重合人幼而樂道年十六欲出家父母不許因蔬食懺誦曉夜不輟年十八方獲入道遠周貧濟乏身無留財有玄紹比丘每給以金具遠讓而弗受嘗一時行青園閭里中有得時氣病者憫而造之見駢尸侶病者數人人莫敢近遠深加痛惋留止不忍去因爲告乞歛死撫

生恩加骨肉宋新安孝敬王子鸞爲亡所生母殷貴妃造新安寺勑選三州招延英哲遠與小山法瑤南澗顯亮俱被徵召皆推遠爲首大明六年九月右司奏曰臣聞遂拱凝居非期宏峻拳跪槃伏豈止敬恭將以昭張四維締制八寓故雖儒法枝泒名墨條流至於崇親嚴上厥繇靡爽唯浮圖爲教逷自龍裒宗旨緬邈微言淪遠拘文蔽道在末彌扇遂迺陵越典度偃居尊戚失隨方之妙迹迷制化之淵美夫佛法以謙儉自牧忠虔爲道不輕比丘遭人必拜目連桑門遇長則禮寧有屈膝四輩而簡禮二親稽首耆臘而直骸萬乘者哉故咸康創議元興載述而事屈偏

黨道挫餘分今鴻源遥洗羣流仰鏡九仙賷寶百神聳職而畿輦之内含弗臣之氓階席之間延抗禮之客懼非所以澄一風範詳示景則者也臣等參議以爲沙門接見皆當盡禮敬之容依其本俗則朝徽有序乘方兼遠矣帝雖頗信法而尤自驕縱故奏上之

詔即可焉遠時歎曰我剃頭沙門本出家求道何關於帝王即日謝病仍隱迹上定林山及景和之中此制又寢還遵舊章宋明踐祚請遠爲師竟不能致其後山居逸迹之賓傲世凌雲之士莫不策踵山門展敬禪室廬山何默汝南周顒齊郡明僧紹濮陽吳苞吳國張融皆投身接足諮其戒範後宋建平王景

素謂棲玄寺是先王經始既寺是人外欲請遠居之慇懃再三遂不下山齊太祖將升位入山尋遠遠固辭老疾足不垂床太祖躬自降禮諮訪委悉及登禪復鑾駕臨幸將詣遠房房閤狹小不容輿蓋太祖欲見遠遠持操不動太祖遣問臥起然後轉蹕而去至于寢疾文惠文宣並服膺師禮數往參候遠蔬食五十餘年澗飲二十餘載游心法苑緬想人外高步山門蕭然物表以齊永明二年正月卒于定林上寺帝致書于沙門法獻曰承遠上無常弟子夜中已自知之遠上此去甚得好處諸佳非一不復增悲也一二遲見法師方可叙瑞夢耳今正爲作功德所須可具

疏來也竟陵文宣王又書曰遠法師一作名德志節清高潛山樹美四海飡風弟子闇昧謬蒙師範方欲仰禀仁化用洗煩慮不謂此疾奄成異世悲痛之心特不可忍遠上節槩業行圓通曠刧希有弟子意不欲遺形影迹雜處衆僧墓中得别卜餘地是所願也方應樹刹表竒刻石銘德矣即爲營墳於山南立碑頌德太尉瑯琊王儉製文

傅大士傳　神僧傳

大士傅弘者住東陽郡烏傷縣雙林寺體權應道躡嗣維摩時或分身濟度爲任或金色表於胸臆異香流於掌内或見身長丈餘臂過於膝脚長二尺指長六寸兩目重瞳

色貌端峙梁孝武聞之延居鍾山定林寺天花甘露恒流於地帝後於華林園重雲殿獨設一榻擬與天旨對揚及玉輦昇殿而公宴然共坐憲司譏問但云法地無動若動則一切不安且知梁運將盡救愍兵灾乃然臂爲炬冀禳來禍至陳大建元年夏中於本州右脇而卧奄就昇遐初大士在日常以經目繁多人或不能遍閲乃建大層龕一柱八面實以諸經運行不碍謂之輪藏今天下所建輪藏皆設大士像實始於此其飼虎餘飯棄擲林間化而爲石青白錯雜可作數珠

劉慧地傳　梁書

劉勰字彦和東莞人雅爲太子昭明所重撰文心雕龍五十篇家貧不婚娶依沙門僧祐遂博通經論區別部類而爲之叙定林寺藏經卽其銓次也中書令沈約絶重其文常置几案間凡都下寺塔及名僧碑碣皆出其手累官通事舍人表求出家先燔鬢髮自誓帝嘉之賜法名慧地

詩

鄰里相送至方山　南宋謝靈運

祗役出皇邑相期憩甌越解纜及流潮懷舊不能發析析就衰林皎皎明秋月含情易爲盈遇物難可歇積痾謝生慮寡欲罕所闕資此永幽棲豈伊年歲別各勉日新志音塵慰寂蔑

與諸兄弟方山别詩　晉王彪之

𦙶車總馳輪汎舟理飛棹絲染墨悲歡路岐楊感悼〔闕〕

侍遊方山應詔　齊王融

巡蹕望登年悵飲臨秋縣日羽鏡霜尋雲旗落風甸四瀛

㫖在目八寓婉如見小臣竊自嘉預奉栢梁讌

侍遊方山應詔　梁沈約

清漢夜昭晳扶桑曉陸離發吹垂楊下建羽朝夕池㩳金

浮水若聳蹕詔山祇一雩九霄露藜藿終自知

下方山　梁何遜

寒鳥樹間響落星川際浮繁霜白曉岸苦霧黑晨流鱗鱗

逆去水瀰瀰急還舟望鄉行復立瞻途近更修誰能百里地縈繞千端愁

定林　宋王安石

定林青木老參天橫貫東南一道泉六月杖藜尋石路午陰多處弄潺湲

自讀書臺上定林　宋王安石

橫絶潺湲度深尋犖确行百年同逆旅一壑我平生

登方山絶頂　明許穀

天印山高四望遥振衣同上興飄蕭深巖藉草秋仍茂絶嶺清池旱不消散睇青巒圍錦甸舉頭蒼藹接丹霄洞中

却愛樓眞者不信人間有市朝

小剎　東霞寺

在郭城上方門外東城崇禮鄉西去所領定林寺二里

北去正陽門三十二里

殿堂　山門壹楹　右觀音殿叁楹　僧院房壹　基址拾畝　東至官街　南至荒圩　西至秦淮河　北至鷄籠山

小剎　外永福寺

在郭城上方門外泉水鄉東城地西去所領定林寺十

里北去正陽門四十里

殿堂　山門叁楹　佛殿叁楹　左伽藍堂壹楹　右祖師堂壹楹　觀音殿

伍僧院貳楹房基址玖畝東至官路　南至小蜎寺田西至本寺水溝　北至官路

公產田共玖畝玖分貳厘

金陵梵刹志卷十一

中刹

光相寺 古刹

在郭城高橋門外北去所統靈谷寺五十里通濟門五十八里東城地乾道志名光相院　國朝永樂間僧行鎡重建所領小刹曰天隆寺積善菴

殿堂天王殿伍楹大佛殿伍楹左伽藍堂壹楹觀音殿伍楹僧院壹房

基址七畝東至本寺地南至官河西至徐貴民地北至民山

公產地共捌畝

小刹

天隆寺

在郭城高橋門外東城丹陽鄉西去所領光相寺五厘

北去正陽門五十里

【殿堂】山門叁楹天王殿叁楹正佛殿叁楹觀音殿伍楹方丈叁楹僧院叁房基址五畝東至李家井　南至秦淮河　西至王家井　北至本寺後山

【公產】山叁畝房陸間

小剎淳化鎮積善菴

在郭城高橋門外清風鄉東城地南去所領光相寺叁拾里西去正陽門肆拾里

【殿堂】地藏堂壹楹正佛殿叁楹左觀音堂壹楹僧院壹房基址貳畝伍分陸厘東至社壇　南至馬家民田　西至周見貴民田　北至葛煥民田

【公產】田地塘共壹拾畝叁分捌厘

北至銅山

公產田地山共貳拾叁畝玖分

小剎 華嚴菴

在郭城外東城道德鄉北去所領三禪寺十里北去聚寶門一百二十里

殿堂山門叁楹地藏殿叁楹觀音殿叁楹僧院壹房基址貳畝東至溧水塘 南至本寺山 西至吳家山 北至武家山

金陵梵剎志卷十二

中剎 三禪寺 古剎

在郭城鳳臺門外東城盡節鄉北去所統靈谷寺一百二十里聚寶門一百二十里所領小剎曰安平寺登臺寺慈光寺無垢寺紫草寺華嚴寺

殿堂 山門叁楹 左觀音殿伍楹 右輪藏殿叁楹 僧院叁房 基址陸畝 東至朱家山 南至劉家山 西至劉家山 北至范家山

公產 田地山塘 共壹百捌拾伍畝肆分

小剎 安平寺

在郭城外東城盡節鄉南去所領三禪寺十五里北去

聚寶門一百五里乾道志有安平院在下橋村今或本此

殿堂 佛殿叄楹 僧院貳房 基址叄畝 東至韓村 南至遊方橋 西至劉家山 北至馬溪橋

公產 田地塘共壹拾捌畝陸分

小剎 登臺寺

在郭城外東城盡節鄉南去負三禪寺十里北去聚寶門一百里

殿堂 佛殿叄楹 法堂伍楹 僧院壹房 基址捌畝 東至社塘冲 南至門塘冲 西至積田冲 北至茅塘冲

〔公産〕田地山塘共貳拾貳畝伍分

小剎慈光寺古剎

在郭城鳳臺門外東城盡節鄉張橋村南去所領三禪寺二十里北去聚寶門一百一十里乾道志有慈光院在章墅村去城百里疑卽此

〔殿堂〕山門叁楹正佛殿叁楹法堂殿伍楹僧院壹房基址伍畝東至龍母山　南至新庄山　西至章橋村　北至雁灘山

〔公産〕田共貳畝貳釐

小剎無垢寺古剎

在郭城鳳臺門外道德鄉東城北去所領三禪寺五里

北去聚寶門一百二十五里原先朝天喜寺梁天監二年改無垢寺乾道志又名無垢院　國朝重修如今額

殿堂 山門叁楹 佛殿叁楹 左觀音殿叁楹 右輪藏殿叁楹 僧院貳房

基址伍畝 東至伍菴庄 西至磨盤山 南至來龍山 北至胡家店

公産 田地山塘 共陸拾陸畝叁分肆釐

小刹 紫草寺 古刹

在郭城夾岡門外東城道德鄉北去所領三禪寺十里北去聚寶門一百二十里係唐古刹　國初重建殿宇經燬嘉靖間募修

殿堂 佛殿叁楹 僧院壹房 基址拾畝 東至石秋壩 南至桑園圃 西至桃洪街

金陵梵刹志卷十三

中刹 廣惠院 古刹

在都城外西去所統靈谷寺二十五里朝陽門三十里東城蒲塘地宋延祐間創名護烈菴元至正癸未改廣惠院　國朝弘治四年重建所領小刹曰崇善寺寶善寺龍泉菴隱靜寺本業寺普濟菴普濟寺山海院

殿堂 山門壹楹 伽藍殿伍楹 正佛殿叁楹 觀音殿叁楹 僧院房壹基址叁畝 東至靈山 南至官山 西至南村 北至後南村

公産 田地山塘共壹百壹畝伍厘

小刹 崇善寺 古刹　敕賜

在都城滄波門外東城北去所領廣惠院五里西去朝陽門二十二里梁寶誌公行化之地舊名城頭菴宣德間僧文瑞規創景泰壬申遣徒赴奏　賜額今殿僅存鐘梵銷歇遺址在荒榛斷岸間

殿堂　正佛殿叁楹左鍾樓壹座僧院壹房基址叁畝東至寺塔院　南至官路　西至窪塘　北至官路

文　崇善禪寺碑銘畧　明南尚寶少卿夏瑄

寺去都城東十里許舊名城頭菴梁朝寶誌公大士行化之地也溪山縈映得地幽勝歷年久遠興廢不一宣德間僧文瑞募十方信施營造仍續置田地若干畝以充常住

香燈近村往來病涉建橋梁四處以便行人滄波門外置化人亭一所爲此方送終者計可免暴露景泰壬申年遣其徒良禋赴　闕奏請寺額　聖旨以崇善賜之經始於正統丁巳落成於景泰壬申

小刹寶善寺古刹　勑賜

在都城滄波門外東城北去所領廣惠院八里西去朝陽門二十二里舊名解脱菴太定間剏　國朝正統初爲靈谷寺僧左講經正暎塔院　上遣禮官諭祭增葺殿宇奏　賜今額枕山臨澗古柏陰深疊嶂平疇村春野外居然鄉落

殿堂 天王殿叁楹 正佛殿叁楹 僧院叁房 基址肆畝 東至本寺 西至官溝 南至忻府墳 北至廟基

公產 田地山塘共伍拾伍畝叁分肆厘

小刹 龍泉菴 古刹

在都城滄波門外東城白巖嶂地北去所領廣惠院二十里西去正陽門三十五里相傳有白鶴仙曾此修煉元至正初僧祥雲慶結菴有泉飛瀑如龍因名

殿堂 寶公堂叁楹 正佛殿叁楹 僧院壹楹 基址壹畝 東至吳家山 西至石灰窑 南至磨盤山 北至官溝

公產 田地山塘共壹拾叁畝貳分壹厘

小剎 **隱靜寺** 古剎

在郭城滄波門外東城地北去所領廣惠院二十五里西去正陽門三十里唐時建古碑剝落苔蘚間字蝕其半

殿堂 山門叁楹 佛殿叁楹 觀音殿叁楹 左三界殿叁楹 僧院壹房 基址叁畝 東至土地廟 西至孟朱山 南至官路 北至孟廷珮山

小剎 **本業寺** 古剎

在郭城麒麟門外東城地西去所領廣惠院七里朝陽門二十五里實錄天監九年置本業寺釋淨玉捨宅不知何時保大間僧令安重修唐乾德年碑尚存

殿堂　天王殿叁楹　正佛殿叁楹　法堂殿伍楹　僧院貳房　基址拾畝

東至本寺山　南至本寺山

西至官路　北至本寺山

公產　田地山塘共肆拾陸畝肆分伍厘

文　本業寺記　唐僧契撫

八以星池布彩扶列宿于玄穹鶴樹收光運真風于像教迦則摩騰入漢近乃達磨來梁傳三乘一性之宗古今恒揭指見智無生之忍人我自除所以佛依法住法假人私道本無心即心悟道未證斯理體解如然喧寂之居故非所得依國王水土事佛缾盂設戒防身藏名遠惡剋修三業不止六塵稟奉四儀方歸八正其本業寺者梁天監九

年有釋淨玉捨宅爲寺累代廢興石像既存鄉人崇信凡經亢燎衆聚祈求進奉國而專家實遵堯而慕舜其民戚戚其化堂堂既偶上番衣寰中舉首山河秀寔日月光輪遐邇奔趍車航輻輳三教濟興于聖代一乘别紀於明朝非頻婆王而再出如何非須達多而重生弗已於保大五年有上元縣近寺衆多檀信濵義開寧兩鄉周俊周裼等雲集圖奏請開善寺僧令安歸寺整葺焚修蒙先元宗皇帝御批奉功德使齊王旨承省司給牒重賜開基再修此寺江月沉而猶出塞鴈去而還來唯酬帝祚之恩永感乘時之德爾後召募四方檀信共刱伽藍紺殿光鮮晨夜之

香燈馥郁青龍廸邐塞瑄之蒼翠聯環寺主安上人俗姓吳當闢人事開善出家順義六年武皇戒品習延經論罷好虛閑擬易高蹤應來衆請佝居名跡獨質劬勞執火拾薪猶希弟子有上足門人道新道昇道通道暹道圓等相次出家俱承旨訓如子奉親及至經業該通昇元受具甘露之香壇灌頂如來之戒制持心戴日銜恩擎山捧國師資之義恭劾無疲侍膳之心始終曷已次敎化造得正堂厨庫其有廊屋僧堂必取圓就良時巳偶星宇重興東接文園昔是儲君之主西連符嶠今兹蕭帝之蹤幾百年而鍾梵泠音流傳佛事一千載之龍圖闡化普遍皇恩願戈

鋋無討伐之心願稼穡有豐登之序九功樂業三界同安長開十善之門共績五天之敎金言可顯磐石恒堅名籍有圖遺蹤莫朽年移事往紀德難勝經踵弘揚刻鐫銘石謹記　唐乾德五年丁卯七月日

游陽山本業寺記　明翰林學士胡廣

永樂三年秋　皇帝因建碑　孝陵斵石于都城東北之陽山得良材焉其長十四丈有奇濶不及長者三之一厚丈二尺色黝澤如漆無疵璺越九月戊午特命翰林臣往觀於是學士解公縉紳侍講金公幼孜暨廣偕往己未由朝陽門出過十里鋪直抵滄波門門外陽平疇山蟬聯起

伏卽城中所見諸山也山下煙林村落耕夫餉婦横縱隴畝予三人觀其作勞徘徊久之見田塍畔繫三舟田水與大江相通故有舟然平疇曠野見此一舟亦自奇絶水之上有古石橋石半墮橋下橋西北有土溝問之溝傍人云國初取土築拒馬墻就以䟽墻内流水由拒馬墻折北而墓在宣義鄉卽此而俗誤傳葉丞相也南望鍾山一峰秀立天際如玉筍都城萬雉紅光紫氣蔚蔚葱葱結爲龍文散爲霞彩誠萬世帝王之都也日午下山回至小村市望見樹林陰翳中一徑沿澗上兩傍皆松柏有古寺甚牢落梁本業寺也剏於天監九年五代時碑刻尚存有古桂二

株其本枯朽其旁枝復拱抱又將枯矣疑與寺同植者從旁入一小軒軒外多竹其南有古井汲以烹茶味甘冽復尋寺前小徑轉登寺後山山多石石罅多棘刺行則鉤衣以手褰衣去地尺徐行至一巨石上坐眺少頃從山脊下至寺地志云謝靈運墓在寺近叩僧不知其處庚申旦離寺由故道入麒麟門緣鍾山麓而行午至靈谷寺觀當時善畫者圖雪景海水于壁寺僧出東坡詩翰有元諸名公品題并宋遂篆書金剛經觀之至暮而還

詩

遊本業寺　明顧源

石壁瞻龍象香林踏虎蹤雲中開殿閣煙際織杉松日月

三天過乾坤一氣封此心隨物化長嘯倚諸峰

小普濟菴 古剎

在郭城麒麟門外西北去所領廣惠院十五里西去朝陽門三十里東城黃龍山宋政和間蔣山寺佛鑑祈雨有感里人爲建菴後成荒墟 國朝洪武間僧正映重建

殿堂佛殿伍楹 僧院壹房 基址壹畝伍分 東至黃龍山 南至西竿村 西至本菴塔院 北至黃龍山官路

公產田地山塘 共柒拾畝捌分柒厘

小普濟寺 古剎

在郭城東麒麟門外東城西去所領廣惠院五里朝陽門三十里按金陵新志載實録梁頭陀寺在蔣山頂後徙置山下治平中改額普濟寺今寺亦名普濟麒麟門又近蔣山之下爲古普濟未可知附此俟考

殿堂金剛殿叁楹正佛殿叁楹僧院壹房基址叁畝東至周家田北至周家山西至姚家周家山山南至

小刹山海院古刹

在郭城滄波門外東城丁墅地西北去所領廣惠院二十五里西去朝陽門五十里唐天寶間創國朝洪武間重建

殿堂 正佛殿叁楹 僧院貳房 基址拾捌畝東至山岡南至官路西至祠山廟北至水澗

金陵梵刹志卷十三終

金陵梵刹志卷十四

中刹 法清院 古刹

在郭城東湖墊地西去所統靈谷寺七十里正陽門七十里東城地梁天監間建名法清院昭明太子讀書其中有東湖讀書臺宋淳熙中方拱辰扁昭文精舍元至元中改昭文書院後廢　國朝正德間上元令程榔重葺祀昭明併奉釋像爲祝釐之所所領小刹曰香林寺吳讀菴許村菴多福寺桂陽寺

殿堂 山門叁楹 正佛殿叁楹 昭明祠伍楹 左韋馱殿叁楹 官房伍楹

禪堂叁楹 僧院壹房 基址肆畝 東至本院塘 南至詹元誠園 西至官路 北至

蘭田

公產 田地山塘共捌拾伍畝玖分玖厘

小剎 香林寺古剎

在郭城高橋門外東城丹陽鄉湖塾鎮北去所領法清院十五里西去正陽門八十里按金陵新志有杜桂院南唐保大六年建在杜桂村因爲院額慶元志院有吳鍾記云梁天監中杜桂二卿平章朝政捨居爲寺故從其姓以旌名今名香林寺又曰香林院名與地合當即此

殿堂 佛殿叄楹 左伽藍殿壹楹 僧院肆房 基址三十畝東至長塘南

至陶家田　西至本寺橋　北至中橋

小刹吴讀菴

在郭城高橋門外東城土橋地北去所領法清院五里

西去正陽門七十里

殿堂山門叁楹佛殿叁楹觀音殿叁楹法堂伍楹僧院貳房基址四畝東至本菴墻　南至上庄村　西至張家巷　北至土橋

公産田地山塘共貳拾陸畝柒分壹厘

小刹許村菴

在郭城高橋門外東城清化鄉南去所領法清院五里

西去通濟門七十里

殿堂 佛殿叁楹 僧院壹房 基址 畝 東至 西至 南至 北至

小刹 多福寺 古刹

在都城東神泉鄉東南去所領法清院十五里西去朝陽門七十里東城地唐天寶初玉鏡圓師創元末罹兵燹洪武初有牧童于寺基傷戲劚二窟偶得趙孟頫書多福寺三字碑扁僧永定即廢址重建揭趙額于寺門永樂間僧惠果繼葺今頹落無復舊觀

殿堂 天王殿叁楹 佛殿伍楹 僧院貳房 基址 畝 東至 西至 南至 北至

公產 田地塘共肆拾捌畝伍分捌厘

〔文〕多福寺重興記　明翰林學士錢塘倪謙

寺在上元神泉鄉唐天寶初玉鏡圓師肇創其地控鍾阜接秦淮左襟勾曲右達　神京泉甘土肥風氣完固寺去都城六十餘里元末罹于兵燹鞠爲荆莽洪武初有牧童於寺基之傷戲斸二甎以避風雨偶得元翰林學士趙孟頫所書多福寺三字於土中而鄉之父老視之欣然相謂曰寺之當興也因延僧永定卽舊基重建寺宇揭舊額于門永樂間有曰惠果者復出巳帑併募檀信谷玉等集材度木興工以天順壬午孟冬爲始畢工於成化丙戌季秋

小剎　桂陽寺　古剎

在郭城滄波門外東城神泉鄉南去所領法清院十四里西去正陽門九十里

殿堂 山門叁楹 佛殿三楹 僧院貳房 基址　畝 東至官山 南至王橡村 西至墳山 北至水澗

金陵梵刹志卷十五

中刹

草堂寺 古刹 勅建

在都城外慈仁鄉唐家渡南去所統靈谷寺三十里太平門二十七里東城地宋紹興間賜額本齋周顒捨宅與慧約法師爲草堂寺在鍾山一名寶乘寺元泰定間殿宇大備至正丁酉燬兵燹洪武七年以其地爲開平忠武王墓撥楊府庄田易之徙寺於此今田嚙於江僅存百餘畝寺亦幾廢所領小刹曰慈仁寺

殿堂　山門壹楹　正佛殿伍楹　僧院貳房　基址肆畝　東至江灘　南至本寺山　西至晏公廟　北至大江

公產 田地山塘 共壹百伍拾捌畝捌分柒厘

文 草堂寺千僧會願文　梁尚書令沈約

上白十方諸佛十方諸大聖今日見前衆僧三界非有五陰皆無四倒十纏共相和合一切如電揮萬劫於俄頃丘井易淪終漂沈於苦岸迷塗遼遠弱喪忘歸區區七尺莫知其假耳目之外謂爲空談靡依靡歸不信不受生靈一謝再得無期約所以撫心自惻臨踐非譬者也至聖凝寂無迹可尋緣應所感事惟拯物持鉢安行出彼祇樹不逾亭午以福衆生芳塵餘法巋然未改約以往夏遘癃痾疾

帝上哀矜深垂愍慮以月次徂暑日在丙寅仰會千僧於

其私宅隆茲重施弗知所限既已奉祇洪德又思自鬻家財一舉盈千力難私辦稍而後滿事或易充草堂約法師於所住山寺爲營八集其一仰憑上定林寺祐法主今月二十九日第十會集白僧於所創田廬福不唐捐聞之經訓心路皎然又過於此凡有涓毫應證來業無巨無細咸歸聖主仰願十方共明此誓豈足少酬天眷葢以微寄誠心云爾

草堂寺緣起記畧

明惠州知府海陵俞經

宋慧約法師者道行彌博學者雲輸川委擇地而居以安徒侶得鍾山之原結茅爲室名曰草堂漸成法席元泰定

間有繼其業者恢宏舊觀寔爲中興至正丁酉罹於兵燹興替不一洪武七年秋爲開平忠武王擇葬地　駕幸於寺視其山林巖巘草木欝暢足稱所謀乃命有司撥楊府庄以易之其庄在上元縣慈仁鄉田地山塘一千三百畝移建其寺於彼亦以草堂名之　正統壬申仲春

傳

智者約法師碑　梁王筠

結宇山椒疏壤幽岫蕾雲泄雨靄映房櫳浴日涵星翻光池沼晨居暇豫留思幽微研精經藏探求法寶香城實相之談金河常樂之說究竟微妙洞遠幽玄掖庭爲道心之宮華林構重雲之殿師子之座高廣於燈王聽法之筵衆

多於方丈開寶函之奧典闡金字之微言顯證一乘宣揚三慧辯才無閡遊戲神通莫不皆悟無生咸知妄想墮類得解俱會眞如銘曰形在江湖心超祇鷲思協風雲量包宇宙軒瞰蒼波窗承翠嶺須枕煙露擥持光景

與草堂寺約法師書　梁尚書令沈約

周中書風趣高奇志託夷遠眞情素韻氷桂齊質自接彩同棲年逾一紀朝夕聯事靡日暫違每受沐言休逍遥寡務何嘗不北茨遊覽南居宴宿春朝聽鳥秋夜臨風匪設空言皆爲實事音容滿目言笑在耳宿草旣陳楸檟將合眷往懷人情不勝慟此生篤信精深甘此藿食至於歲時

包篚毋見請求凡厥菜品必令以薦弟子輙斬而後與用爲歡詎其事未遠其人已謝昔之諧調倏成悲緒去冬今歲人鬼見分石耳紫菜愴焉興想淚下不禁指遣恭送以充蔬僧一飯法師與周情期契闊非止恒交覽物存舊彌當楚切痛矣如何往矣柰何

詩

草堂寺尋無名法師　梁劉孝先

飛鏡點青天横照滿樓前深林生夜冷複閣上霄煙葉動花中露湍鳴闇裏泉竹風聲若雨山蟲聽似蟬摘果仍荷藉酌水用花傳一卮聊自飲萬事且蕭然

秋夜草堂寺禪房月下　梁劉孝先

幽人住山北月上照山東洞戶臨松徑虛牕隱竹叢出林避炎影步逕逐涼風平雲斷高岫長河隔淨空數螢流暗草一鳥宿疎桐興逸煙霄上神閑宇宙中還思城闕下何異處樊籠

遊草堂寺四首　宋王安石

野寺真蘭若山僧老病多疎鍾挾谷響悲梵入樵歌水映草堂竹雲埋鴛女蘿拂塵書所見因得擬陰何　一桑楊已零落藻荇亦消沉園宅在人徑歲時傷我心強穿西埭路共望北山岑欲見道人悟跨鞍聊一尋　二律詩二首周顒宅作阿蘭若婁約身歸窣堵波蕙帳銅缾皆夢事脩然陳迹翳

松蘿一偶向松關覓舊題野人休誦北山移丈夫出處非無意猿鶴從來自不知二絶句二首

遊草堂寺　明王韋

故結鍾峯麓今開江水濆門猶妨俗駕僧尚誦移文猿鶴何年謫烟霞別澗分山靈招未得休遣昔賢聞

小刹　慈仁寺　勑賜

在郭城姚坊門外東城地西去所領草堂寺五里南去太平門三十里古刹名戒壇菴宣德二年僧智亨重建請額

殿堂佛堂壹楹　僧院貳房　基址拾貳畝東至花林西至瓜冲南至陽明塘

北至曹家邊

公產地山塘共陸拾陸畝肆分肆厘

南菴碧玉
天界寺左景
淒桂夕禪
西菴曲逕
鉄佛寺
庫司
芙蓉山
能仁寺
秣陵劉希賢刻

金室松風
毘盧閣
西方丈
東方丈
掌印方丈
僧録司
伽藍殿
三聖殿
觀音
大雄寶殿
天王殿
普世法
茶菴
井

半峯煙雨
蒼翠喬松
華嚴楼
禅堂
祖師殿
輪藏
鐘楼
新方丈
碧峰寺

雨花臺
天界寺右景
普德寺

金陵梵刹志卷十六

大剎 鳳山天界寺 古剎 勑建

在都城外南城鳳山離聚寶門二里舊名龍翔集慶寺在城中閃駕橋北元文宗即位詔以金陵潛宫改建國朝洪武二十一年寺災 勑徙城南閴寂處與民居不相接出内帑大建剎宇更名天界榜寺門曰善世法門復 賜田地蘆洲若干頃永樂間增建旃檀林毘盧閣三十六菴併設僧錄司于内癸卯寺復災止存大殿天順間覺義道香募緣重建觀音輪藏天王等殿其徒戒謙繼之成化間益廓廡百餘楹規制弘敞嚴靚甲諸

寺僧盧悠邃松竹深通有西菴曲徑蒼翠喬松半峰烟雨雙桂返照南菴碧玉古拙品梅爲六景得城南幽勝歲久頹敝萬曆丙申覺義定椿等復募修毘盧閣壬寅部檄諸山修僧錄司丁未徵寺租糧修金剛殿左右畫廊百間興復公塾禪堂中增建華嚴閣額設右覺義壹員統次大刹二城内曰鷄鳴郭内曰靜海中刹十二城内曰清涼曰永慶曰瓦官曰鷲峰曰承恩曰普緣曰吉祥曰金陵郭内曰嘉善曰普惠郭外曰弘濟曰接待皆中西北三城地

【殿堂】金剛殿伍楹　天王殿伍楹　正佛殿伍楹　左觀音殿叁楹　右輪

藏殿叁楹 三聖殿伍楹 左伽藍殿叁楹 右祖師殿叁楹 廻廊百楹 鐘樓壹座 毘盧閣柒楹 半峰亭壹座 方丈叁所僧官方丈拾叁楹左住方丈拾壹楹右住方丈拾肆楹 公塾佛殿叁楹東西學拾楹 庫司拾貳楹 僧院壹百壹拾房食粮僧叁百伍拾名食粮學僧壹百伍拾名 基址陸百畝東至鳳臺街南至西寧侯墳西至安德街北至普德寺山

禪堂 韋駄殿叁楹 大禪堂柒楹 華嚴樓伍楹又廂樓肆楹 十方堂叁楹 齋堂伍楹 鐵佛堂 靜室伍楹 涅槃堂叁楹 倉庫廚茶等房共拾叁楹

僧錄司 大門叁楹 正堂伍楹 方丈拾貳楹 檄鎖宿房叁楹

公產 湖塾庄丈過實在田地壹千柒百畝陸分伍厘 溧陽庄原額田共叁千玖百玖拾伍畝肆分壹厘 高淳庄原額田地共叁千柒百貳拾壹畝玖分玖厘

禪堂 靖安庄

附寺前地丈過實在田地蕩共玖百貳拾伍畝柒分叁厘　房地壹拾貳間　**采石蘆洲**丈過洲貳千柒百玖拾柒畝陸分　**施捨田地**丈過實在田地山塘共壹百伍畝壹分

山水

鳳山山不高而林巒廻映最幽勝有六景曰西菴曲徑　蒼翠喬松　半峰烟雨　雙桂返照　南菴碧玉　古拙品梅　俱見存

古蹟

琢煉堆泐師煉詩琢句處在毘盧閣後　**佛牙**僧真淳得自天台陸太宰光祖供以文龕俱存　**畫壁**天曆中錢唐王若水筆又劉總管命於門壁作一鬼令先畫祼體後加衣冠果善　不存

人物

元

笑隱　**曇芳**皆名德之上舉行百丈清規

明

宗泐有傳略　**碧峰**乾州永壽人　高皇帝定鼎金陵　詔至京師　上曰朕聞師名以中州苦寒特延師居南方爾止于天界寺　**來復**聘高僧任左覺義　**宗泐**聘高僧任右覺義　**戒資**聘高僧任左善世　**行椿**聘高僧任住持　**孚中**有誌略　**覺原**有誌略　**白菴**有誌略　**廣慧**有誌略

清遠有誌略　介菴有誌略　雪軒有誌略

藏經護勅　正統十年二月十五日

皇帝聖旨朕體　天地保民之心恭成　皇曾祖考之志刊印大藏經典頒賜天下用廣流傳兹以一藏安置南京天界寺永充供養聽所在僧官僧徒看誦讃揚上爲國家祝釐下與生民祈福務須敬奉守護不許縱容閑雜之人私借觀玩輕慢褻瀆致有損壞遺失敢有違者必究治之故諭

文　龍翔集慶寺碑　元翰林學士虞集

上自金陵入正大統改元天曆以金陵爲集慶路遣使傳

旨行御史大夫阿思蘭海牙等以潛宮之舊作大龍翔集慶寺云明年召中天竺住持禪師大訢於杭州授太中大夫主寺事設官隸之畫宮爲圖授工部尚書王弘往董其役斥廣其地爲民居者悉出金購之土木瓦石丹堊金碧之需材自內出不涉經費工以傭給役弗違農有司率職尤勤景從嚮應御史中丞趙世安承稟於內行御史中丞易董阿忽都海牙相繼率其屬以涖之是以吏勤於事而民若不知材既具期以又明年正月朔日壬午之吉乃建立焉其大殿曰大覺之殿後殿曰五方調御之殿居僧以致其道者曰禪宗海會之堂居師以尊其道者曰傳法正

宗之堂師弟子之所警發辯證者曰雷音之堂法寶之儲曰龍藏治食之處曰香積鼓鐘之宣金穀之委各有其所繚以垣廡闢之三門而佛菩薩天人之像設纓蓋床座嚴飾之具華燈音樂之奉與凡所宜有者皆致精備以稱上意焉賜姑蘇腴田以飯其衆上在奎章閣親詔臣集製文刻石以誌之臣聞金陵之墟自秦時望氣者嘗言有天子氣至藏金土中以鎮之其後若吳晉宋齊梁陳南唐之君長據以爲都然皆瓜裂之餘僅克自保要不足以當王氣之盛夫孰知江山盤踞之固天地藏閟之久積千餘年而有待於我聖天子之興也不然何淵潛之來處遂飛躍之

自兹見諸禎祥行事昭著之若此者乎夫太陽之升麗於天光耀熙赫高深廣袤之區生成動植之類孰不受其煦燠而其次舍之所經知天者必仰推而志之天子以四海爲家莫非聖明之所臨鑒惟帝運之所由起天人應合之機實在於此其可忽諸今上建極于中撫制萬國顧懷昔居勢隆望重非我佛世尊無量之福孰足以處乎此也兹事之成上以承祖宗之洪庥下以廣民庶之嘉惠聖天子之至仁大慈垂示乎億萬斯年者以此可見矣於戲盛哉敢不拜手稽首而述讚曰明明上天祚我皇國聖祖神宗立我民極於昭武皇懋建丕績憲章修明民用齊鋖天下

合聚寶門外西行不四三里有山地曠絶幽邃林麓茂密
與民居不相接可建立佛刹　上亟命泐引某官相視地
方爲圖　進呈　上曰可遂徙於此而興建焉錦衣衛指
揮尹某奉　勅督役凡寺之方向規制泐與謀畫所用一
切材料工傭之費盡出公帑不三年而門廡殿堂庫庾庖
湢於教所宜有者皆具惟毘盧閣旃檀林闕然寺成其額
依舊所　賜曰天界善世寺宇之清灑閎廓比舊倍焉又
命泐復主之以完寺事未幾泐示寂後三易住持而不見
有作也青州府僧綱司都綱禪師道成二十八年十一月
宣至京三十年丁丑秋八月朔日奉　旨住持甫及期

太祖高皇帝賓天　皇上繼登大寶屢沐　寵恩永樂元年癸未欽選使日本回　朝六年戊子夏四月首建旃檀林屋計若干楹間爲衆僧習誦休息之所八年庚寅募緣創造毘盧閣若干楹間其崇若干尺廣如崇若干尺修去廣若干尺一一梁柱一一門闥一一牕牖一一闌楯皆以刻畫髹彩金碧丹堊爲餙階戺庭霤甃以礪石其平如掌至於羅網鈴鐸出微妙音振動林木聞者莫不忻忭閣之雄傑瓌偉如岡如陵搴霞凌雲倚天照日廣博無礙同於虛空十年壬辰冬始樂成上供法報化三佛及設萬佛之像左右庋以大藏諸經法匭後延觀音大士示十普門下

奉毗盧遮那如來中坐千葉摩尼寶蓮華座一一葉上有一如來周匝圍繞旁列十八應真羅漢二十威德諸天珠瓔寶幢幡蓋帷帳香燈瓜華之供靡不畢備俾一切人登陟禮敬覩此不可思議大解脫境界無有不發無上菩提之心十四年丙申又建方丈二所基于閣之兩傍相對翔峙山林增其亢爽神物益其英靈非惟綺嚴梵刹亦足壯觀　天都然其所用梓材陶甓彩繪工傭之貲計若干萬緡悉出於衆檀度也以此希有勝妙功德上資　太祖高皇帝聖靈莊嚴報土欽惟　皇上聖壽億萬斯年永爲天下蒼生之主秋九月禪師具狀來請余文爲記刻石以告

夫來者　謂佛法利濟有情豈不博而大哉必也依人而後行所以釋尊於靈山會上付囑國王大臣護持象季之教法也兹寺始蒙　太祖賜額移徙興復仰惟神功與天同大逮我　皇上繼承大統平治萬邦兆民樂業天下大康歲穀之豐登資生之蕃息無有一物不被其　仁風德澤者也今禪師雖乘願輪來董是刹成兹妙寶樓閣開大施門皆出於　帝之力也一宜書易三住持而不有作者而禪師作之俄然成此大業略不見其艱苦之心勞悴之態如幻如化孰不羨之二宜書以此不可思議大解脫境界示一切人俾其皆發無上菩提之心三宜書也廣孝雖

謏才陋學故弗敢辭迺以寺之前後興復備悉爲記禪師字就峰道成其諱也容貌魁偉身頎然出人一頭地能度量又人所不能及前爲僧録司右闡敎政平僧安上喜恩陞左善世云頌曰

毘盧法界無有邊無邊法界一塵攝法界不廣塵不狹自在解脱難思議有大長老曰道成宿修普賢之妙行秉斯願力應於世來董天界大禪刹廣開法施度諸有能以土木爲佛事鼎建毘盧寶樓閣廣博嚴淨世希有藻梲璇題日月明朱甍碧瓦烟霞燦梁柱門闥與牕牖髹漆彩丹堊爲嚴飾階戺庭除甃碱石瑩潔無染平如掌佛子遊行踐其上如鳥飛空不見迹闌楯寶網

懸鈴鐸出微妙音振林木盡談苦空無我法聞者靡不生淨信上延法報化身佛下奉毗盧大教主中坐千葉蓮花臺一葉一佛衆圍繞旁列十八大聲聞諸天龍侍常拱衛幢旛瓔珞及寶蓋香燈瓜華微妙供有來登陟瞻禮者皆發無上菩提心如上種種諸勝緣皆蒙 帝力所成就無着無染常清淨無漏無爲不斷滅以此無量功德海上資太祖嚴報土伏願 天子壽無疆金輪永與法輪轉普天率土揚 化風勤文蒼巖詔來古 永樂二十二年八月

重修天界寺記略 明南吏部尚書三山林瀚

大天界善世禪寺舊名龍翔始建城中會同橋之北我

太祖高皇帝徙建於茲乃　賜今額連岡回抱據高向明環秀拱碧誠一出塵之境復　賜圩田蘆洲以充香積之具永樂癸卯廊僧不謹於火遂蕩然一空所存者惟大雄殿耳後三十餘年爲天順戊寅覺義道香奏　請募緣重造天王觀音輪藏等殿法堂及僧錄司亦有體焉志未畢而逝其徒戒謙成化壬辰繼主是寺閱理各庄田租及蘆洲課賦齋供之餘隨適豐儉悉充修葺復緣募十方鳩工命材建廊廡百有餘間溝渠堦道凡四百餘丈月臺甬道臺基浪坡靡不周整幻成西方三聖應真諸像迥出常倫庭墀堦除植以松檜鬱然空翠瑩淨無塵履之如出人世

外者其毘盧閣永樂中所建迨今弘治甲子久而將頹復撤新之其高七丈有六深如之加六尺焉廣十有一丈六尺大藏經置於其中槩將大雄三聖觀音輪藏伽藍祖師等殿綴葺珠林規制悉易觀焉　弘治十八年歲乙丑中秋日

天界寺佛牙碑略　明大名知府秣陵姚汝循

今上御極之十有八年浙僧真淳得佛牙于天台山中異之不敢留因獻于長洲僉憲管公管公驗之良然又念太宰平湖陸公現宰官身說法于南曹于內外教典尤所該博復命僧轉獻于公公一見驚歎不已乃擇所宜置以今

天界寺　留都叢林之勝也於是捐貲命工雕紫檀小浮圖一具貯之外加文龕崇護卜吉齋沐導以旛幢鼓樂躬自送于寺之毘盧閣中安奉是日天清氣融風恬日麗士庶觀者塡溢衢路無不贊歎頂禮若崩厥角者嗚呼方今正法陵夷邪說熾盛振頹起敝其兆於是乎自昔儒者如韓退之諫佛骨有表歐陽永叔排佛法有論以至程朱諸子皆亦有異議然竟不能廢肆我　太祖高皇帝初平宇内即建五大寺于　留都今天界其一也嗣後一郡一邑悉有之至與儒宫與列而設僧綱正會以董其事迨乎列聖相承有隆無替於是寶坊碁布于寰區精舍星羅于

閭里矣在今日尤爲特盛焉夫豈不聞君説乎要其理有必不可廢者故爾孔子嘗曰西方之人有聖者焉不治而不亂不言而自信不化而自行蓋指佛言也嗚呼是雖三皇五帝之化何以過此而諸儒固欲詆之何哉寺官住定椿等謂兹勝事不可不勒之琰琬乃以屬予次其説如左

萬曆壬辰季春

半峰亭記略

明南大理卿沔陽陳文燭

半峰者果斌尚人之别號也半峰有詩名在嘉靖間先大夫按察公常誦所云天台雁宕天下奇有生不往將焉之不佞少而愛焉頃宦金陵半峰久化去其徒孫文秀雅好

詩翰請余一言記亭事陳子曰金陵自秦始皇以來鑿鍾阜斷長隴漢秣陵爲建業其後孫吳東晉南朝建都其間至 高皇帝定鼎山川佳麗蓋自天地剖判以來一奇遘也其間王侯將相所遺宫殿墳墓俱已頹落埋没往往童子樵採嬉遊于其上而不復禁奈何有于茲亭哉即天界寺在洪武初年稱爲善世法門永樂天順間往往遭火灾者二即茲亭安能保其常好乎或云唐昇州士宇泯滅殆盡而皎然靈徹之詩名千載如新夫半峰高詠不減清晝澄源則後之視今亦猶今之視昔也半峰之名常在而亭且不朽况吾儕樹立有出于言語文字之外者乎古人等

光陰爲過客歎俛仰爲陳跡良有以也若夫環亭皆山環山皆竹樹日出而暉雲歸而暝此朝暮之景也花開而草榮木落而石出此四時之景也游人稱快焉又有目者所覩記矣因操筆書之俾後之登斯亭者將有感于余言

萬曆庚寅冬日

八大寺定租碑記

八大寺以靈谷爲首諸記宜入靈谷因僧錄司在天界各寺總於僧司故碑亦豎此

明南吏部侍郎福唐葉向高

自佛教入中國儒者羣然排之昌黎氏至欲人其人火其書廬其居世以爲名言然其說終不行也蓋自漢至今千有餘年間盡世之賢人君子與之力爭而不能勝其甚者

如魏道武唐武宗宋道君以天子之威靈毅然欲刻除其教曾不踰時而復其故是何其抑之而愈張撲之而愈熾一至此耶歐陽氏乃欲修三代之教明禮義以導之使其自息余謂其說似矣而有未盡也自三代而上民生未嘗分田制里之法足以衣食長養其民無饑寒凍餒惸獨怨曠之憂出入相友守望相助疾病相扶持不待勸誘而自相收恤佛氏雖欲以慈仁化導之固無所用後世民生日泉朘削日甚饑不得食寒不得衣壯不得有室鰥寡孤獨不得自存者不知何限而其人又率自私自利同室之内漠如胡越民有窮困以死無復之耳於是佛氏得以其教

羣天下之窮民而養育其中其稍有貲財者又奪以福田利益之說損其有餘以補不足庶幾於古者相收相恤之義故自王政廢而佛教行雖其清言淵論足以入人亦以爲教之便利勢有必趨而不能止也　高皇帝神聖聰明卓絶千古其立綱陳紀宰世滋民一循五帝三王之道乃於佛教亦存而不廢近畿名刹大者六七處皆有　賜田以贍給緇流蠲其常賦定其租額載在　御製集　欽録集甚詳夫　高皇帝豈不知遊手遊食之無益而爲是以滋蠹哉正慮天下之人有不得其所而吾衣食長養之恩有所不及存此一門以收恤之明吾治之廣大耳夫庶人

之家耕奴織婢自是生涯至於力稍饒裕則必有園池臺館使一二閒人遊客得寄食其中而况於天子之尊四海之富哉近世士大夫不明此義談空説幻者既欲其與尼山爭道而馳而守土之吏復賤棄緇流不得與齊民齒閭右之豪因以爲利若故業然加賦減租日侵月削浸淫不止且至無田是於　聖祖之意殆兩失之寺田故隸祠曹因循日久莫有問者自武林葛君來典是曹始悉力稽查籍在則問田田在則問租條分縷析升斗不遺尺牘文移往復甚苦於是田始有租租始不逋雖不能盡如舊額而亦庶幾十之六七矣或有引昌黎之言誚君者君曰吾不

知其他知吾職耳且　高皇帝能以天下之大覆露羣生而不能以區區尺寸之土田自行其意是何臣子之敢於倍遺也夫守職遵　制自尋常事又何譏焉事既竣君乃悉籍其租賦之額刊之於石而以余常攝事其曹請爲之記曰藉此以垂之他日毋再湮没也余曰君過矣夫以　高皇帝之詔令炳如日星而且弁髦也其何有於兹石與不佞之言哉雖然孟氏有言惡害已者皆去其籍夫籍在則惡害已者終有所畏而不得逞也是使後之爲葛君者得有所藉也是君之志也夫　萬曆叁拾伍年叁月

重修南京僧録司碑記　明南祠部郎姚江陳治本

法之廢興存乎人事匪獨經常賴以修舉而象教亦藉之維持且余蒞祠官而歎　昭代之垂摹遠也江左自達摩初祖以人天漏果感冠達帝而禪宗大盛浸淫至於唐之元和宋之興國元之至元而爛漫極矣我　高皇知出世有裨於治世故陽攝以綱常而陰範以名相曇那止觀之論未必非摩善厲俗之方也於是既定鼎金陵百司庶府而外建善世諸刹宏麗冠天下而又慮苾芻人操異意鑿旁蹊而謬正印也則設僧録於中以統之二百年來其高者歸心法鏡而無敢弔詭以畔宗下者亦謹廪唄誦而不至毀戒以亂俗彼不制以勢而制以道洞涅槃之性而修

衣珠之富嚌禪悅之味而斷無明之想蓋大乘成於慧而起於戒定其法極於不可思議而未始不自薰修得之故能大師受法爲南宗而拭塵明鏡之旨尤人人所易趨雖頓漸攸分而智不世出則彌下彌　其從入之塗要不容誣也今僧録多以高宿領之其行足以攝衆其解足以證心日夕升座拈尾樹拂無非爲一大事因緣諸苾蒭耳而目之卽此微塵便成淨土若奔走顚指慠然坐立是以火宅心居清涼地佛所不載又何表率化導之有乎余嘗偕同舍王君結毘盧緣道經僧録慨其日就圮敗詢其主者謂謀請水衡而不得不知以方外之局仰責於宰官難而

以不二之門趣成於法衆易嫣登壇首座而下伊蒲塞等人出其餘困無俟檀越而足也約之期限景響以赴即不待歲月而畢也於是諸僧用其言輒逾時而告成登之肅然其靚深且與毘盧交相壯也夫一僧舍耳余豈任受德獨念　聖祖不紬以異而隸之寅清復不蕩以衰而總之尊宿凡以妙囿三之柄而練至一之術也録僧者誠能以指喻眞以幡證妄俾大衆知無所住而生心由不可分別而得法則堂雖步武無減給孤之布金室匪由旬可並維摩之容座妙法之明將在今日故凡吾所爲非徒飾其觀美實冀宗風梵行爲之一振也若榱桷之層矯壇宇之崇

隆以法眼示之曾不足當刼灰之毫末而余與王君之所經營皆幻泡緣而有漏因也異日有好事者跡是而爲修葺計亦可以轉法輪於不礙濯恒沙於無竟乎哉既以屬諸僧復爲記之石　萬曆壬寅歲孟夏穀旦

八大寺定租碑記　明南祠部郎錢塘葛寅亮

我　太祖高皇帝削平宇内治具畢張既龥士學宫崇尚儒術至大雄氏教復云暗助王綱於國有益若靈谷天界報恩雞鳴能仁棲霞諸刹共　賜有贍僧田近五百頃蘆洲亦幾其半計斗受租秋五之七之而夏三之　勑宗伯氏稽其登耗綱一切徭稅有司弗得問　御製集　欽錄

集諸書斑斑可鏡也夫佛氏固儒者所謂骨朽而神不靈且欲人人盧居者是何　天縱聖人見顧與唐宋諸儒剌謬哉此予愚而不得其解而予所知則惟宗伯氏之典守在予每見寺僧歲報　賜租田之隸籍未有恙也佃戸之名又非有改於昔也而或半菽不吐或升斗猶靳田漏其租租之入漏其額僧人不敢言祠官不可問穰穰滿車徒以果閭右之腹矣有司又詭其名以箕斂或稱勸借或稱丈餘在彼負益上之虛聲在此懾祟禪之握笑一以竊攣一以委馭而緇流遂無可控告嗚呼弗翦之澤流蔭甘棠瞻烏之愛興思誰屋此伊誰之惠而不使得比甘棠屋烏

於今日哉且尺寸之土嚴益賦無裨　國儲錙銖寬貸租詎滿豪家谿壑又焉用此以衡　命爲也予攝官承乏緇羽卽吾民淸租亦卽吾職安能恝然爲秦越之視而或謂勢重伏禍事瑣無名予不忍聞之矣於是博求文卷旁稽記籍執籍以問田執額以問租畿以内者討佃民而訓之畿以外者檄邑長而布之租較昔而量爲復賦凖今而杜其增履畝有圖科糧有籍則燦然明備期可垂之久焉予愚無似實仰藉大宗伯主持於上諸曹長協力於下而署部少宰葉公儀司汪君予司鄭君爲力尤多雖初制未能悉協要以弊取漸更事因寬濟自兹日引月長是在後之

當事矣予於是而竊嘆　高皇帝以神聖開基百司庶府蔑弗盡善能遵其教自可萬萬世無敝而今之蠹日積而意爲更者獨一僧田爲然乎予也嫠恤其緯猶時有跋前疐後之慮况其大者挽於極重更何如也迄今誦　聖謨洋洋若暗助王綱之旨雖未易窺而仰維　德意俯循職司餼羊之愛其能無惻然哉其能無惻然哉　萬曆叁拾伍年叁月

八大寺贍僧碑小引　明南祠部郎錢塘葛寅亮

賜田贍僧載之令甲往時籍報甚詳自租失而僧糧亦失典寺事者得陰爲盈縮月成歲會祗空文耳邇者租額既

清僧糧可復因考古叅今量入制出授餐者寺大叄百伍拾人次大柒拾人一切寶華香積之供官師執事之餼各校然畫一勒之貞珉杜侵軼焉或謂是不耕之衆食之何爲夫 高皇帝業已賜之矣越世小臣烏號有慕第不敢委 成命於今日耳其當食與否焉能排閶闔叩九天陛帝左右而問之哉 國初原以試經隷牒其人無不曉暢本業者自援納開而賢愚混今隷牒無論餼廩仍不廢乎試法即於初制未蕩然也夫祠官所職雖曰祀事祝史陳信實惟奉常獨此一二緇羽煢煢委命又或以無關輕重而屑越之則爲委吏者顧可不必會計當哉博奕猶賢乎

飽食運甕且可以惜陰予不敢謂舉其職亦聊以消吾永日可矣　萬曆叁拾伍年陸月貳拾玖日

八大寺重修禪律堂及贍田碑記

明南祠部郎錢塘葛寅亮

國初宗伯氏奉　高皇帝旨分釋子爲三曰禪曰講曰教今伏讀　欽定榜文禪取見性講事明經教以消業滌愆俾各務其業而禪非習靜不能獨有堂以居之視講與教加重焉至給田贍僧則三大寺最饒次亦間有錫予規制劃然具也夫　高皇帝方息馬橫經投戈論道亦何暇於倥偬中修出世之業而結緇衲緣哉蓋　聖主宰制區宇

則六合同堂統一聖眞則百家共貫原不見有異視而可置膜外者後世不問其徒之賢不肖一切厭薄不知釋教自入中國閱千百載不能廢名藍緇侶布滿京畿其賢者無求於世我不能加彼法而觀空足以自澹其不肖者無異齊民彼不能損吾道而犯戒或爲衆尤祠官之職緇羽是問在世法中不廢彰癉與其治之孰若熏之此 國初禪堂之設明教攝心第一義也邇者寺僧各立門戶梵唄稀聞觸蠻時競巳失千僧一釜之舊卽有數椽僅存遺制而主者非人檀施不繼漸欲圯焉予適淸 賜田乃就各大刹中剖額租以還禪衲括羨緡以拓禪居爰有鍾山左

阜萬松盖舒繞寶公塔之輪拂靑林堂之翼一嚴淨毘尼一宣揚娑竭堂之於靈谷也平岡列嶂倚若負扆增搆飛閣而額以華嚴堂之於天界也琉璃九級而高瞰窣堵三藏而下峙請經之室腋連講壇堂之於報恩也若夫玄武澄波映帶几席頂浮圖之玲瓏面星臺之岌業靚爽而爲雞鳴之堂嶽佛千連山峰四抱欒盧中搆林壑翳然秀鬱而爲棲霞之堂塔影丹龕種種現奇梯百級表雙峰雄峻而爲弘覺之堂連儀鳳之嵴嵲對靈石之巉巖自河之曲徙城之隅襟要而爲靜海之堂或 園陵宮闕遠近見奇或山川城郭枕帶據勝而險者加闢敞者易新招提之觀

爛焉增色僧寮各約三四十楹錢穀之飯僧天界報恩各約柒百餘指靈谷倍之棲霞殺之雞鳴弘覺靜海又殺之能仁獨鈌則姑有待焉歲入具諸帖文中自是法席無虛鐘梵不輟　賜租非復空靡而寺僧之聞且見者庶其有興焉已顧予猶告居是堂者徃時偶見執爨司庖陽取贍僧陰希潤橐眷屬中據而蔓延學人望門而斂跡登壇豈義者屑屑幢幔香華以法爲市禪居無處奔走世緣則末法之衰誰執其咎今雖不盡然而竊慮其然欲護勝因先破劣相毋設人我毋着慳貪要使清修足以消鄙吝儀律足以肅觀瞻卽以素厭薄者視之將毋發程伯子三代威

[illegible]之嘆乎不然以　聖祖特恩至不惜膏腴以供香積且勑宗伯氏爲舉揚夫寧爱爾衆之不耕不織爲予不能爲爾衆解矣

附記承恩普惠二寺禪堂畧

諸大寺禪堂外有寺二一曰承恩曰普惠一附舊内一邇三山門屆都城水陸之衝僧近市知價多廢經律禪棲業剳入僧寮不可返近各於大雄殿後闢十餘楹以舊賜儭椽金錢餉諸住錫者六時稍焚誦其中出見轂擊肩摩紅塵四合入聞鐘魚梵唄清韻悠然幾解煩濁爲清涼界然方諸大寺地勝租饒弘開法席者闕如也是

法平等諆併存其制因附書之　萬曆叁拾伍年陸月

八大寺重設公塾碑記　明南祠部郎錢塘葛寅亮

蓋管子之論四民也謂聖王治天下必使羣萃州處少而習長而安不見異物而遷故其父兄之敎不肅而成子弟之學不勞而能士之子恒爲士農工商之子亦恒爲農工商若然則四民貴各還其業爲士者不斷爲農工商爲農工商者亦不斷爲士而釋氏子獨無業哉　國初令天下僧徒各習其教三年試之精通者隸剃牒正以釋子充滿宇内幾與四民等聽其縱逸必且蕩而爲非故卽以其業治之是　聖王之所以處釋氏者也邇者法久廢弛經律

論置之不問徒傚其師孫仍其祖錮習俗爲膏肓日甚今猶跳而軼諸外夫若輩既不習誦詩讀書爲經世之業又不任耕田鑿井比力食之民而門風淪落游惰卒歲寧不亦天地間一大蠹哉耆年老宿業計無所施而少者愛慾未纏接引猶易是以先年各大寺有公塾之設意至善也獨惜膳脯無資衆咻易煽貧者晝而富者怠卒以解散偶寺僧陳其遺制遂爲彷而復之闢堂之間敞者爲塾辟僧之明篤者爲師歲給脩脯寺大二人次者一人羣寺之僧蒙訓之而餼以廩給寺大百五十人次者三十人先之律以嚴其戒繼之經論以示其義大都責以禪講而瑜珈無

取也爾時經聲應壑梵韻飄鐘濟濟簇簇日無曠景行之
不輟習與性成十誦五戒如王章國憲枷械切身而不敢
犯三藏九部如布帛菽粟飲食日用而不能去以此印性
或借筏而爲彼岸之登或標指而忘眞月之視雖不可知
第就其得與四民各守其業各居其所少習長安不遷異
物而相於淫僻斯不亦有裨世法無黜王治哉至於四民
中猶或苦苴宿而乏藻斧茲獨藉有　賜租坐靡無爭之
餐逸享不求之教則又視四民爲獨幸者何可不念　國
恩而負此塈也設塈之大寺三曰靈谷天界報恩次大寺
五曰雞鳴能仁棲霞弘覺靜海得並書　萬曆叁拾伍年

叅月

諸刹常住田碑小引　明南祠部郎錢塘葛寅亮

清復諸大刹田租重　君賜也其他中小刹亦有檀越所施今或存或没或增或損田與籍多不相蒙而不可悉問矣疆塲之地一彼一此若無足道然此皆常住所隸而非僧人私業檀施所計爲不朽者未幾而侵之豪右貿之黠僧其若施者之意何且獨不有常住田土法不許買之令甲在予於是併爲清覈所幸此虧彼溢總其大校成額猶未有羨也即有强嚙者追價貿者贖甚至質之司寇亦千百中什一耳悉籍見存以入寺版得田地山塘共伍千

貳百畝有奇夫烏衣第宅久鞠黍離古殿荒藍時開金碧興亡之事千古同慨則奪彼有常以爲我不常者不亦愚而可笑也哉其又何論三尺爲也因書之以志感

傳

釋宗泐傳略　集各志

宗泐臨海人始生坐卽跏趺人異之八歲從天竺僧廣智學佛經藏過目輒成誦一日智問泐曰三喚侍者三應於意云何泐曰何得剜肉作瘡智曰將謂汝奇特今故無所得也泐喝智擬棒之卽拂袖出自是深入秘密法門　高皇帝詔致天下高僧有學行者泐首應　詔至主天界寺凡對皆稱　上旨榮遇爲一時冠寺襍民居洪武二十一

年家人失火延燼　高皇帝欲另於幽寂處營之渤啟奏今地　上即俞允凡寺之方向規制皆渤所指畫也工告成復　命渤主之後數載入寂于寺

孚中信禪師誌略　明翰林學士宋濂

大天界寺住持孚中禪師名懷信明之奉化人入法華院聞延慶半巖全公弘三觀十乘之旨復與之遊久之且歎曰教相緐多浩如烟海苟欲窮之是誠筭沙徒自困耳即棄去渡浙汀而西凡遇名叢林輒往衆扣下語多枘鑿弗合不勝憤悱華藏竺西坦公遷主明之天童景德禪寺師隨質所疑竺西一見知爲法器厲色待之不與交一語師

羣疑愈熾一日上堂舉興化打克賓公案問師師擬曰後
哉師子兒也師自是依止不忍去天曆巳巳住補怛洛迦
山師不以位望之崇效它浮屠餙車輿盛徒御以誇衒於
人自持一鉢丐食吳楚間巳丑冬十月江表大龍翔集慶
寺虛席行御史臺奉疏迎師主之龍翔文宗潛邸及至踐
祚建佛刹於其地棟宇之麗甲天下其秉住持事者若咲
隱訢公曇芳忠公皆名德之士舉行百丈清規爲東南之
楷則居亡何燬於火忠公新之惟海會堂未就而化師乃
出衣盂之私補前未建之堂不日而集會元政大亂戎馬
紛紜寺事日見艱窘師處之裕如一不以屑意一旦晨輿

索蘭湯沐浴更衣趺坐謂左右曰吾將歸矣汝等當以荷
法自期勵精進行可也言畢而暝侍者撼且呼曰和尚去
則去矣寧不留片言以示人乎師復瞑目叱之侍者呼不
已師握筆書曰平生爲人𢖍氣七十八年漏洩今朝撒手
便行萬里晴空片雪書畢復瞑時丁酉秋八月二十四日
也荼毘於聚寶山前舍利如菽如蘇五色粲爛雖烟所及
處亦纍纍然生貯以寶瓶光發瓶外初　大明兵下金陵
僧徒俱風雨散去師獨結跏宴坐目不四顧執兵者滿前
無不擲杖而拜上嘗親幸寺中聽師說法嘉師言行純慤
特爲改龍翔爲大天界寺告終前一日　上統兵駐江陰

沙洲上當晝而寢夢師服褐色禪袍來見　上還聞遷化衣與夢中正同大悦　詔出内府帛泉助其喪事且命堪輿家賀齊叔爲卜金藏舉龕之夕　上親致奠送出都門之外師有五會語録行於世

覺原曇禪師誌略　明翰林學士宋濂

浮圖之爲禪學者自隋唐以來初無定止唯借律院以居至宋而樓觀方盛然猶不分等第唯推在京鉅剎爲之首南渡之後始定江南爲五山十剎使其拾級而升黄梅曹溪諸道場反不與其間則其去古也益遠矣元氏有國文宗潛邸在金陵及至臨御詔建大龍翔集慶寺獨冠五山

葢矯其槩也　國朝因之錫以新額就寺建官總轄天下僧尼當是時覺原禪師實奉　詔涖其職師諱慧曇覺原其字也天台人依越之法果寺時廣智禪師咲隱訢公敷揚大法於中天竺師往造焉備陳求道之切廣智斥曰從外入者决非家珎道在自已奚向人求耶師退凝然獨坐一室久之未有所入廣智一日舉百丈野狐語師大悟曰佛法落我手矣只爲分明極翻成所得遲廣智曰爾見何道理敢爾大言耶師展雙手曰不直一文錢廣智頷之十六年丙申王師定建業師謁　皇上於轅門　上見師氣貌異常嘆曰此福德僧也命主蔣山太平興國禪寺時當

儉歲師化食以給其衆無闕乏者山下田人多欲隷軍籍師懼寺田之蕪廢也請於上而歸之山之林木爲樵所剪伐師又陳上封一劍授師曰敢有伐木者斬至今蓊鬱然云踰年丁酉賜改龍翔爲大天界寺　詔師主之每設廣薦法會師必升座舉宣秘法要　車駕親帥羣臣幸臨恩數優渥遠邇學徒聞風奔赴堂筵至無所容先是僧堂寮庫有司權以貯戎器久而不歸　上見焉亟命相國李韓公出之洪武元年戊申春三月開善世院秋視從二品持授師演梵善世利國崇教大禪師住持大天界寺統諸山釋教事頒降　誥命俾服紫方袍章逢之士以釋氏爲世

盡請滅除之　上以其章示師師曰孔子以佛爲西方聖人以此知真儒必不非釋非釋必非真儒也　上亦以佛之功陰翊王度却不聽三年庚戌夏六月奉使西域四年辛亥秋七月至省合剌國布宣　天子威德其國王喜甚館于佛山寺待以師禮乙亥呼左右謂曰予不能復命矣跏趺端坐夜參半問云日將出否曰未也已而復問至于四三曰日出矣恬然而逝其日葢丙子云踰五日顏貌如生王大敬嘆斵香爲棺聚香代薪築壇而茶毘之

白菴金禪師誌略　　明翰林學士宋濂

師諱力金字西白吳郡姚氏子七歲頴悟異常一日請于

毋曰兒患世相起滅不常將出求世間法可乎毋曰出家甚苦爾年幼豈能堪乎曰兒心自樂之想無苦也自後請之不已父毋知志不可奪俾依吳縣寶積院道原至正丁酉出世住蘇之瑞光寺會嘉興天寧寺災郡守貳咸曰非師不足起其廢具幣遣使者力邀致之師至未久儼如兜率天宮下現人世道路過者莫不瞻禮贊嘆帝師大寶法王聞師之賢授以圓通普濟禪師之號師自幼喪父唯有毋存乃去城東一舍築孤雲菴以奉養焉同袍或議之師呵之曰爾不見編蒲陳尊宿乎何言之易易也洪武改元有　旨起師住持大天界寺師應　詔至闕見　上於外

朝慰勞優渥即令内官送其入院賜以天厨法饌萬機之暇時　召入庭奏對多稱旨益師精通西竺典及東魯諸書其與薦紳談論霏霏如吐玉屑故咸樂與之游四年春詔集三宗名僧十人及其從二千建廣薦法華會于鍾山命師總持齋事師能靈承　上旨凡儀制規式皆堪傳永久尋以毋年耄舉　山淑公自代復還菴居五年冬詔復建會如四年　大駕臨幸詔師闡揚第一義諦自公侯以至庶僚環而聽之靡不悦服一日忽示門弟子曰吾有夙因未了必當酬之汝等勿以世相遇我未幾示微疾謝去醫藥飲食委順而化茶毘設利無筭觀者競取之而去

廣慧及禪師誌略

明翰林學士宋濂

師諱智及，字以中，蘇之吳縣顧氏子。入海雲院祝髮，受具足戒。師聞賢首家講法界觀，往聽之，未及終章，莞爾而笑曰：一真法界，圓同太虛，但涉言辭，即成賸法。縱獲天雨寶花，於我奚益哉。遂走建業見廣智訢公於大龍翔集慶寺，廣智以文章道德傾動一世，如張文穆公起巖、張潞公翥、危左丞素，皆與之游，以聲詩倡酬爲樂。師微露文彩，珠潔璧光，廣智及群公見之，大驚，交相延譽。師之同袍聚上人訶曰：子才俊爽若此，不思負荷正法，其作詩騷奴僕乎？無盡燈偈所謂黃葉飄飄者，不知作何見解？師舌强不能答。

即歸海雲宵中如礙巨石目不交睫者踰月忽見秋葉吹墜於庭豁然有省機用彰明觸目無障戊戌江浙行省左丞相達識帖睦爾兼領院事延師主杭之淨慈兵燹之餘艱窘危厲人所不能堪師運量有方軌範峻整綽有承平遺風　皇明龍興洪武癸丑　詔有道浮屠十人集京師大天界寺而師實居其首以病不及召對乙卯賜還窮隆山山即海雲所在也戊午八月忽示微疾而逝九日行荼毘法火餤化成五色有氣襲人如沉香遺骨紺澤類青流離色室利羅交綴於上

清遠渭禪師誌略　明翰林學士宋濂

清遠師全悟俗姓之甥誦書攻文不待師授知解日勝時全悟以太中大夫住持集慶大龍翔寺聞之喜曰此吾宗千里駒也亟挽致座下集慶爲東南都會而行御史臺溢焉四方名薦紳無不與全悟游初科第一人張公起巖來爲中丞翰林承旨張公翥中書左丞危公素時尚布衣俱往來乎其中四三君子或發天人性命之秘或談古今治忽之幾或論文辭開闔之法清遠咸得與聞之反覆參求益探其閫奥其學於是大進形諸篇翰如千葩競放錦麗霞張老於文學者爭歆慕之讙曰此文中虎也清遠恚曰公等謂吾專攻是業耶佛法與世法不相違背故以餘力

及之將光潤其宗教爾苟用此相夸豈知我哉一日全悟警厲諸徒衆未有對清遠直前肆言如俊鶻横秋目無留行全悟振威叱之衆爲駭愕清遠氣不少沮如是詰難至于二三全悟莞爾而笑曰汝可入吾室矣命爲記室浙江行省丞相康里公重其文行遣使者具書幣延主會稽之寶相未幾遷杭之報國轉湖之道場雖當兵燹相仍之際爲法求人無少退轉　國朝洪武初儀曹奉　詔設無遮大會于鍾山二浙名浮屠咸集清遠一至京師遂退居錢塘之梁渚梁渚乃全悟藏爪髮之地八年十二月怡然而逝火化得不壞者三曰齒牙曰鉢塞莫曰室利羅四會語

有錄其詩文曰外集者凡若干篇

介菴良大師誌略　　明翰林學士宋濂

師諱輔良字用貞號介菴蘇州吳縣人范文正公之十葉孫年十五從同里迎福院薙落受具戒時笑隱訢公見主龍翔集慶寺　賜號廣智全悟大禪師師往見問荅之際棒喝兼施凡情頓喪他日廣智再有所問大師發言愈厲廣智笑曰得則得矣終居第二義也大師弗懈益虔久之遂契其心法雲空川流了無留礙後移杭之中天竺時海內大亂兵燹相仍南北兩山諸剎皆化於烈焰靈隱古稱絶勝覺場凉烟白草棲迷於夕照之間過者爲之慨嘆康

里公爲浙江行省丞相妙㮚名僧能任起廢者莫大師爲宜遣使者命居之既至剪剔荆叢葺茅爲廬以棲四方學者雖當凋零之秋開示徒衆語尤激切其言有曰達摩一宗陵夷殆盡汝等用力如救頭然可也然百千法門無量妙義於一毫端可以周知如知之變大地爲黄金受之當無所讓否則貽素餐之愧矣歲月流電向上之事汝等急自進修參學之士多有因其語而入者化緣既周手素衣貲入公帑散交游顧謂左右曰翼日巳時吾將逝矣及期澡浴端坐而歿

雪軒成禪師誌略　　明南兵部侍郎李震

宣德戊申春左善世道成入疏乞歸南京天界寺之西菴以終老　上從之賜白金楮幣及鍍金銅佛一尊明日入謝　勅兵部給驛舟命中官姚忠護送旣至逾三歲辛亥十二月八日微疾端坐而逝闍維得堅固無筭於遺燼中上遣官諭祭賜塔所曰鷲峰禪寺師諱道成字鷲峰別號雪軒居薊北之雲州出家於保定蠡縣之興國寺受具戒結三人爲友雲遊至山東之靑州同居土窟窮究教典脇不沾席者三逾寒暑一日忽見一老人自外而來儀貌甚古謂師曰汝三人者在此苦學他日必作法門梁棟師曰旣作法門梁棟何居土窟之中老人曰未有常行而不住

未有常住而不行言訖而去師默記之又歲餘乃自榜
生不知來處死不知去處豈可久居此乎聞濟南靈巖寺
秋江潔公大弘曹洞宗旨卽往見之潔問云汝何處來師
曰青州來又云帶得青州布衫來麽師曰呈似和尚了也
又云如何是布衫下事師曰千年桃核裏元是舊時仁潔
深器之囑曰是汝本有之事善自護持他日能弘吾道者
必汝也惜乎不及見矣師復回青州而道益著州人有喬
氏者捨地建普照彌陀寺以居師出世住萊州大澤山之
智藏寺每說法聽者日千餘人而屠沽有爲之易業者洪
武壬戌　詔天下設僧司揀名德以居之師首膺其選授

青州僧綱司都綱數歲　太祖高皇帝聞其賢召爲僧錄司右講經命考試天下僧人因進試卷奏對稱　旨賜金襴袈裟　命住持今寺懇辭　上不允親灑翰作詩賜之曰不荅來辭許默然西歸隻履舊單傳鼓鐘朔望空王殿示座從前數歲年俾懸於法堂未幾奉　勅建普度大會車駕臨幸咨問法要師對揚有序深蒙眷顧末樂改元之初　太宗文皇帝謂日本國在鯨波萬里外俗尚佛乘以師道行尊宿　命捧璽書往諭之陛辭　賜金鉢錫杖淨瓶等物師經涉波濤如履平地既至宣布　朝廷恩威闡揚佛祖宗旨自其國王而下莫不俯伏向化明年師還而

國人入貢稱謝者即至　文廟大悅陞師左善世奉迎西天大寶法王哈立嘛吧上師至靈谷寺復率天下僧於鍾山寺修設普度大齋師承　旨說法是日也有祥雲瑞霧之現會聽者數萬人咸聚觀焉　上聞之御製感應詩三章賜師累賜金帛作毘盧佛閣於寺後高十餘丈　皇上巡狩北京師數入覲賞賚甚厚嘗因建水陸大會屢感瑞應特　賜勅褒嘉兼　賜刻絲佛像一軸　仁宗在春宮時有忌師之寵者搆詞間之及御極遂謫師海南　宣宗章皇帝嗣位首遣官召師還且　勅禮部左善世到不要班裏來見師至入見便殿慰勞甚至　賜綵段若干匹鈔

萬緡仍　命掌僧錄司事師身長七尺廣顙豐顋修然出人之表歷事　四朝五十餘年三坐道場四會說法有語錄行於世　天順八年甲申春正月

詩

登天界寺　明高棨

雨過帝城頭香凝佛界幽果園春乳雀花殿午鳴鳩萬履隨鐘集千燈入境流禪居容旅跡不覺久淹留

遊天界寺　明傅若金

楚王宮殿倚青冥先帝旌幢擁百靈寶網自鳴空裏樂琅函時出賜來經近山鳳去花仍碧逢海人歸樹獨青玉輦宸遊竟寥廓行人揮淚讀新銘

遊牛首山歸宿天界　明王問

看山逢在萬峰西歸路亭亭江日低散吏自堪攜伴侶閒心猶得任招提經壇露淨天花落塔院清風谷鳥啼長習跏趺入禪寂亦知虛幻此生迷

春日家兄至宿天界　明王世懋

雲路分飛各渺茫人天此會意差强百年星聚南朝寺萬里鴻歸北地霜倚玉自憐雙樹色連牀猶借一燈光不知忍草經春發看作池塘夢後長

誌公殿
五方殿
伽藍殿
祖師殿
正佛殿
禪堂門
鼓樓
千佛樓
鍾樓
天王殿
輪藏殿
畫廊

雞鳴寺右景
觀象臺
十廟中門

左景
覆舟山
先師廟
凌大德畫

後湖
方丈
憑虛閣
施食臺
井
書庫
監

金陵梵刹志卷十七

次大刹 雞籠山雞鳴寺 勅建

在都城内北城地南去所統天界寺十三里金吾後衛雞籠山與覆舟山臺城連接晉永康間倚山爲室始創道場舊有寺五所迄無遺址題識間存 國朝洪武二十年命崇山侯督工重創改雞鳴寺有門三日秘密關觀由所出塵徑皆 聖祖命名遷靈谷寺寶公大師法函瘞于山巔建塔五級每歲遣官 諭祭寺阻城地不廣數畝入寺曲廊迤邐經數門至佛宇皆從複道陟降而進若行數里傷有憑虛閣俯視京城大内直望郊垧

峰聳無極登浮圖北瞰玄武湖西連祠廟臺榭皆隱隱于木末見之弘治間殿堂漸圮僧德旻募修令復鼇整立山門亭葺廊墻改建禪院於浮圖之下益助崇麗

殿堂　涼亭壹座　秘密關壹座第一門　觀由所壹座第二門　出塵徑壹座第三門　天王殿叁楹　千佛閣叁楹即在天王殿上　正佛殿伍楹　左觀音殿叁楹　鐘樓壹座　右輪藏殿叁楹　鼓樓壹座　五方殿伍楹　左伽藍殿叁楹　右祖師殿叁楹　施食臺壹座　憑虛閣伍楹廚房壹楹又　方丈叁楹又小樓陸楹　公學伍楹即廊房　僧院叁拾叁房食糧牒僧柒拾名食糧學生叁拾名　基址壹百畝東至國子監墻南至功臣廟西至古臺城北至臺城腳

禪堂　大門壹楹　伽藍堂壹楹　禪堂叁楹　十方堂叁楹　齋堂叁楹

寶塔壹座 塔殿叁楹 客務房伍楹 靜室荼房伍楹 廚庫房叁楹

【公產】小梅子洲丈過實在地玖百肆拾畝肆分 接生子洲丈過實在地伍百壹拾肆畝叁分 鯽魚洲丈過實在地柒百捌拾陸畝 靈谷安西莊給糧肆百捌拾石

【碑堂】大梅子洲丈過實在地壹千伍百伍拾捌畝

【山水】鷄鳴山 高三十丈周五里與覆舟山相接穹起若鷄籠名鷄籠山劉宋時黒龍見玄武湖又名龍山舊有佛寺五所 陳林道在西岸都下諸人共要至牛渚會陳理既佳人欲共言折陳以如意拄頰望鷄籠山嘆曰孫伯符志業不遂於是竟坐不得談

玄武湖 即在寺垣下貯天下圖籍其中有禁不可渡然波光蕩漾千頃凝碧樓臺島嶼足助茲寺之勝

【古蹟】塔 五級登之見後湖

【附】西苑 在鷄籠山東歸善寺後大明中築孝武立名西苑苑梁敗上林有飲馬池西有望宮臺

雞鳴埭 按南史齊武帝數幸瑯琊埭雞始鳴故呼爲雞鳴埭見六朝事

迹又應天志雞鳴埭在湖溝上齊武帝早遊鍾山射雉至此始聞雞鳴

士林館 竟陵王子良開西邸延才俊梁武帝亦於臺城西立士林館延集學者

劉宏宅 宋建平王劉宏少而篤好文籍太祖愛之立宅雞籠盡山水之美

雷次宗館 宋元嘉中文帝立儒館于北郊命雷次宗居之次宗開館其下齊高帝竟陵王子良嘗移居雞籠山下集學士抄五經百家為四部要略千卷

法融墓 見法融傳以上俱不存

藏經護勑 文同天界　正統十年十月十五日

文

重修雞鳴寺記略　明南吏部尚書晉陵王與

雞鳴禪寺在都城西北隅晉永康間倚山為室始創道場歷隋唐宋元雖鐘鼓香燈不乏聲歘而規模卑隘未入叢林之列至我 太祖高皇帝命崇山侯督工創造盡撤故

宇而開拓之由是殿堂門廡舉𢧐舊觀建大浮圖光出新制自遠望之儼然一祇園鷲嶺其所謂秘密關觀由所出壓徑西番殿諸額又皆出自　上命既成乃於靈谷選故普濟寶公大師法函瘞于山巔歲時享祀甚謹去是百年薦經灾燬楹欹甓塌有不勝風雨之震凌者矣頃有僧德旻者敏爽有爲徧叩檀越由是南京兵部尚書張公鎣首倡之都邑中高貲鉅室聞風而起輸財薦貨爭先樂助旻遂鳩工購材肇始于弘治戊申之春落成于癸丑之夏凡六閱寒暑所費幾數千百緡於是浮圖及大悲大雄輪藏天王諸殿千佛閣法堂廊廡庖湢山門㮰墁藻繪輪奐一

新是宜列之貞石以示來者

鷄鳴寺施食臺記　　明釋道果

考稽雞鳴山在六朝時爲北郊之岡岡下有坑塹凡誅戮者皆置之俗呼爲萬人坑　國朝築城禁則岡塹皆在城內矣我　聖祖高皇帝觀其山勢秀麗乃建十王功臣等廟及鷄鳴寺于岡之陽以爲祀神演法之所而坑塹之地形勢益勝又命司空建立國學以育天下英才用以鎮壓其地而餘魂滯魄尚未泯没往往結爲黑氣人有觸之者則昏迷僵仆甚至殞命亾軀一日事聞于　朝　聖祖疑且駭乃服儒服幸廣業堂以試其事則寂無妖怪之狀

駕回則妖氣復作於是思以神道治之遂　勅使迎取西番有道僧因得惺吉堅藏等七僧詣城闕結壇場於寺之東南隅與監之六堂對峙壇內具三大石鉢盂貯蓄淨水菜飯三物諸僧登壇運心作法廣施濟度忽感天雨寳花之異監中黑氣充塞壇場上下或聚或散時開時合宛若趨向之狀往來供事人役身皆爲氣所翳所可見者惟頂額兀然在外蓋陰邪不能掩至陽也似此者七晝夜妖氣始滅自是不復作矣　聖祖嘉其神妙乃構西番殿與居用黄金以飾之日命光祿寺厚饋飲饌其餕餘者不以食人俱留貯於豆諸僧旋繞誦呪則餕餘皆化爲水越數年

藏等乞還本國　聖旨可其奏止留二僧守奉香火至宣德間殁于本寺葬神策門外崇化寺先所居壇場門徑皆有　欽賜扁額曰秘密關曰觀由所曰出塵徑其壇場石牌坊則曰雞鳴寺施食臺蓋將以旌其法獎其人而垂之不朽也迄今殿堂基址猶有遺迹可見果自師祖住持茲山相承五世得聞其詳竊恐世遠迹湮嗣今者不得以考其實也遂書爲記　嘉靖辛亥六月望日

憑虛閣記略

明南刑部郎晉陵呂律

憑虛閣在雞鳴山之陽山高三十丈餘而閣駕出其上

國初建佛寺以崇寶志公祠事茲閣未有宣德間始構焉

而規制弱小至成化中已垂敝矣時吾鄉康敏白公來尹茲土乃廣之爲間凡五軒豁爽塏迄今屹然綠崖插壁平臨木杪俯瞰山麓空聳若寄太虛然名之所起意在茲乎其南則鳳臺牛首其西則石城長江其東則　大內宮闕其北則玄湖鍾阜景未有若此之勝者也而一覽可以盡之　嘉靖四年秋七月

附

過後湖記　明南戶部主事許弘道

天下版籍盡載貯後湖南京戶部官率一往磨勘正德壬申秋予叨職寄斯役自八月至十月始訖事凡過湖必出太平門命舟行可七八里許一望渺漫光映上下微風播

揚文漪筆興蕩漾煙波之上莫不情暢神爽若遊仙焉予間立四顧其嵯峩霄漢之表王氣鬱葱而峙乎東南者鍾山也疊連如屏如幃在西北者幕府山也巒嶺偃蹇盤伏於地而松森其上者覆舟山也挺拔而凸出城頭殿閣參差浮圖聳空者雞鳴山也山東西一帶列如懸榜者世傳臺城也峻嶒月水而出者島嶼也傍視三法司隱隱錯落雲水之湄重岡疊阜遥連於其外巋然而鸞鳳峙騰然而蛟龍走矣其中遠近芳洲相聚如五星紅紫煙花畢絢如匹錦鷗鷺鳧鴻載飛載鳴鯈鱨鰋鯉以潛以泳則已目飫而心怡矣忽驚風暴作洪濤舂撞篙人惶懼拏舟艤岸而

行經敗荷問香氣猶襲人浮藻亂荇葦舟綴楫巳乃引入曲渚兩岸薈蔚須㬰抵小陂遂捨舟以陟焉命隸剪荆分莽排霧穿雲逡巡而進見數處頹垣廢址意前朝遺跡令人慨歎而叢林蒙翳追探前路尚空衆亦憊焉或藉草坐茵箕踞少憩復進望一高丘隸指曰此相傳郭仙墩也衆狙⿰犭戒以上四圍樹林蔽日復下故道向新建籍庫過石橋延佇其上騁望雲水茫茫清飈颯颯遂相與携手入舊庫之洲攝齊而升玄武廳則黃門趙君惟賢巳先渡見予輩殊訝既而聞述所遇則又曰是何奇也予往返數矣而未有若諸君所遇者衆亦相與慰喜以爲非因風之故則誰

使之一探此奇哉凡以公事至及暮而歸則見日光射水晩霞相蕩囘視湖上諸宇在蒼烟杳靄間不啻蓬萊閬苑然豈不信爲勝地哉昔歐文忠公以金陵錢塘山川人物之盛各爲一都會錢塘莫美於西湖金陵莫美於後湖固遊冶之所趨也我　皇祖奮出江表收天下版籍建庫而儲之於此特設科部官司之禁非公遣不得至則凡好遊者雖慕幽遐瓌瑋之觀無所可及而吾儕令獲因公而至而又探奇於無心之會豈非至幸哉

（詩）雞鳴埭曲　　唐温庭筠

南朝天子射雉時銀河耿耿星參差銅壺漏斷夢初覺寶

馬塵高人未知魚躍蓮東蕩宮沼濛濛御柳懸棲鳥紅粧
萬戶鏡中春碧樹一聲天下曉盤踞勢窮三百年朱方殺
氣成愁烟彗星拂地浪連海戰鼓渡江塵漲天繡龍畫雉
填宮井野火風驅燒九冎殿巢江燕砌生蒿十二金人霜
炯炯芊眠平綠臺城基暖色春容荒古陂寧知玉樹後庭
曲留待野棠如雪枝

宿鷄鳴寺　明王偁吉

昔誦北山文今棲鍾阜雲秋林時夜嘯天樂忽空聞弟子
胡麻薦頭陁罽席分那知江海客不亂衲衣羣

登鷄鳴寺塔望後湖　明王偁吉

曉日鷄鳴塔秋光玄武湖石鯨吹肩鬣天馬浴虛無太液
金潚瀉鍾山玉罍紆載歌　皇祖烈永保萬方圖

鷄籠山　明吴寬

秋盡荒山鳥跡稀拂拂衣獨上扣柴扉屋頭鹿下緣青磵樹
杪僧行入翠微千里風烟搔短鬢六朝文物付斜暉悠悠
身世渾如此目斷天邊一鴈飛

雨中集憑虛閣餞客　明錢琦

春雲壓樹雨不休千花萬花含别愁白門行客駐長旆粉
署同官祖勝遊江鴻渺渺沉孤影烟草離離散遠洲道上
喜添三尺水馬蹄還許暫遲留

同年會集憑虛閣余抱病不赴　明錢琦

驚風吹雨花欲盡有客銜泥偏湯遊百年能得幾回醉此日眞堪一破愁高閣垂陰飛鳥没青山出樹遠烟浮那知枕畔足幽夢已到鷄鳴最上頭

宿鷄鳴寺　明陳沂

春山臨淨域夜檻出高城萬境烟雲暝諸天象緯明寶燈分塔影金鐸亂松聲定處塵機破諠中道念平感靈僧錫化虛寂佛香生鳥息林初靜龍歸水自淸蕭皇遺世志師竺住山名不到深棲地那時識此情

鷄鳴寺憑虛閣　明陳沂

春雲如黛點鍾陵湖水生波盡解冰幾處春風迴弱柳千巖雨色潤垂藤香筵寶座初聞梵塔院蓮龕正試燈閣上莫辭同醉酒望中原草漸層層

憑虛閣雨中秋望　明焦竑

斷塔稜層過雨痕蕭然秋滿給孤園雲屯殿角寒鐘咽潮浸城根遠嶼昏隨俗杯盤虛永日媚人梧竹隔頹垣梁臺宋苑消沈盡猶有殘經鳥自翻

金陵梵刹志卷十七　終

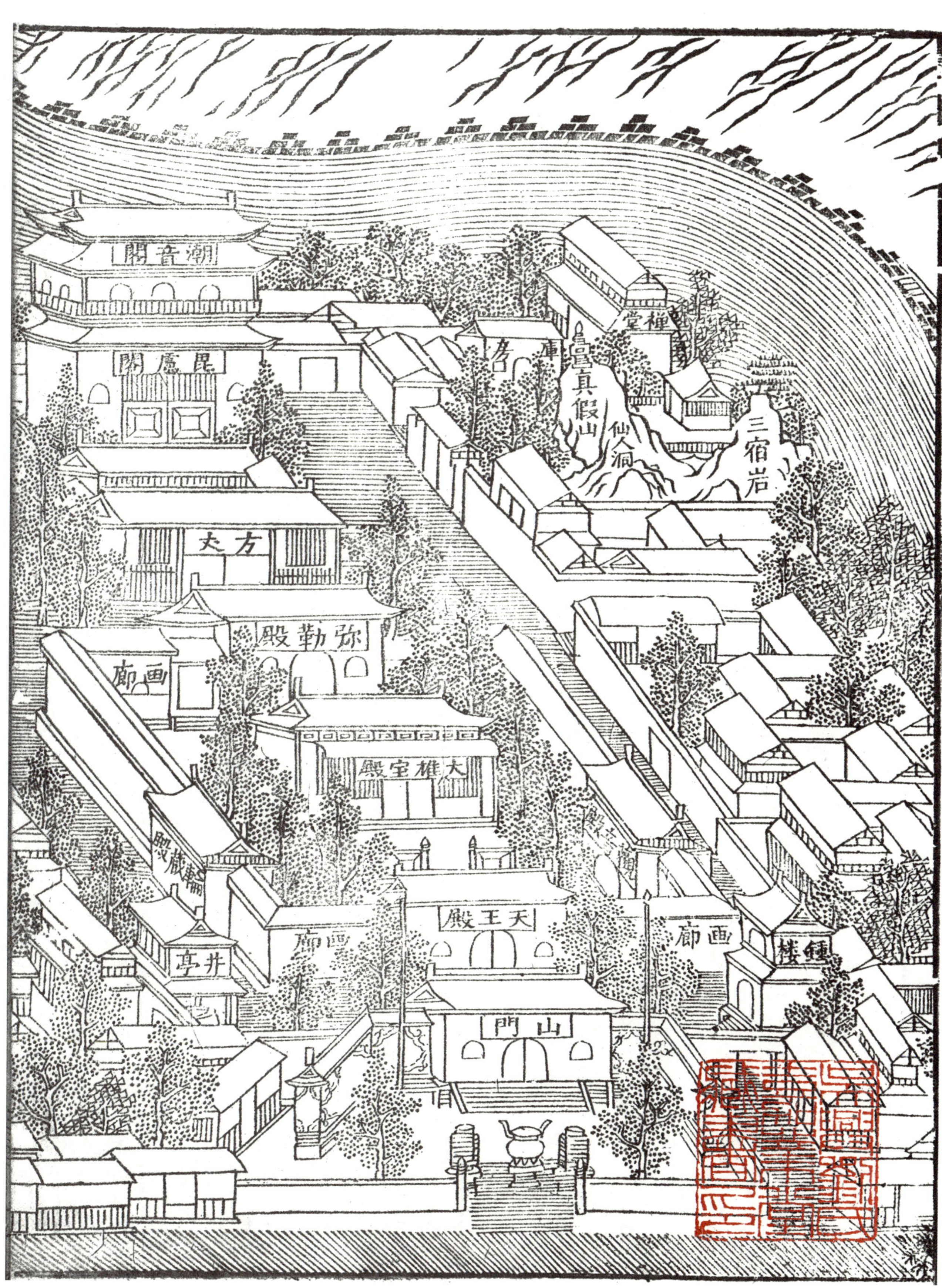
潮音閣
毗盧閣
禪堂
庫房
真假山
仙人洞
三宿岩
方丈
弥勒殿
画廊
大雄宝殿
輪藏殿
天王殿
画廊
画廊
井亭
鍾楼
山門

靜海寺右景
城河

静海寺左景
鍾阜門
盧龍觀
儀鳳門
綉球山
凌大德畫

獅子山
天妃宮
洞門

金陵梵刹志卷十八

次大刹　盧龍山靜海寺　勅賜

在都城外南去儀鳳門半里所統天界寺二十里西城盧龍山之麓　文皇命使海外平服諸番風波無警因建寺　賜額靜海正德間重修寺左有巨石名真假山從地矗起下空洞潦水徼豬曲徑盤折而上形類纍石爲之潮音閣傑出殿表見千帆下上濤浪今禪院因避河患改建方丈之左所領小刹曰一真菴金川積善菴

殿堂　金剛殿叁楹　左鐘樓壹座　右井亭壹座　天王殿叁楹　正佛殿叁楹　左觀音殿叁楹　左伽藍殿貳楹　右輪藏殿叁楹　右彌勒殿

叁楹右祖師殿貳楹潮音閣伍楹左華嚴樓叁楹廻廊貳拾玩咸亭壹座方丈壹所拾陸楹公學叁楹僧院肆拾房食糧牒僧柒拾名食糧學僧叁拾名

基址叁拾畝東至天妃宮南至官街西至城河北至城河

禪堂

正門壹座華嚴樓叁楹禪堂左右貳堂共陸楹十方堂叁楹在正門外右首茶廚等房[illegible]楹舊禪堂壹所在寺右

公產

槃槐田併寺前房丈過實在田地塘共貳百叁畝貳厘又房地肆拾間走道壹條

禪堂施捨田地實在田地山塘共貳百叁拾伍畝貳厘

山水

盧龍山高三十六丈周八里晉元帝初渡江見此山嶺綿延逶迤石頭真江上關塞以比北地盧龍又俗名獅子山

真假山寺內方丈左有巨石從地矗起高四五丈周二十餘丈又俗名獅子頭

三宿巖宋時爲江岸虞允文破金人于采石曾三宿此故名即真假山

井泉味甘

例

西巖在盧龍山頂 太祖伏兵破陳友諒山下後欲建閱江樓于西巖旋止恠羣臣無諫者

古蹟

宋題名石郎真假山宋人題刻泊舟於此盖江滸也又三宿巖題萬元範以嘉定丁丑仲春月別趙君用字類黃太史

水陸羅漢像來自西洋

藏經護勅文同天界 正統十年二月十五日

文

靜海寺重修記略

明南禮部侍郎楊廉

儀鳳門外獅子山之陽有靜海寺焉鼎創歲深蠱壞日甚用浮圖故事費出募緣經營三載厥功告僝凡爲殿四堂六亭亦四若門若閣若樓若方丈室各一若畫廊以間計則四十云永樂間命使航海往來于粘天無壁之間曾未覩夫連山排空之險 仁宗皇帝勅建此寺而因以名焉

蓋以昭 太宗皇帝聖德廣被薄海内外焉耳昔靜修劉夢吉記高氏園以成毁代謝二者相因爲氣機之使然以前者旣不爲焉後者復不爲焉則天地間皆化爲草莽之區而斯人安得遂遊觀之樂兹寺豈特如高氏園之於遊人而已哉 正德己卯夏四月

玩咸亭記略

明南貴州道御史桐城高克

金陵之靜海寺其東迺獅子山其山旣夷有陵突起維石巖巖其上有澤中虛而明克每愛其泉石之雅嘉靖丙申監督抽分爰與分司張子鍾謀除其澤之東倚山向澤重構小亭與澤西之舊亭相伍亭成僧以名請予曰山上有

澤其卦爲咸茲亭名欲稱其實其玩咸矣乎若夫泉之甘足以悅口石之奇足以娛目修竹茂林之足以爾休爾游鍾山如龍之蟠其東澄江如練之遶其西皆斯亭之可玩者抑末矣　嘉靖戊戌夏五月

三宿巖記略

明南大理卿沔陽陳文燭

南京下關去城四五里有靜海寺余常過之住持請余遊山亭南京名園假山者衆矣而此山突怒偃蹇負土而出奇怪萬狀渙若犇雲錯若置棊怒者虎鬬企者鳥厲如熊羆之士鼓勇而立又如戰馬森列渴而飲於溪也昔人所謂抉其穴而鼻口相呀搜其根而蹄股交峙者也假令香

山仙客平泉庄主人海嶽庵居士見之有不欣於所遇而賞鑒者哉余每過之風月之夕有登臨忘倦徙倚忘去者矣山僧請余一言且曰此山在宋時原係江岸虞允文大破金人於采石曾繫舟三宿山岸至今名三宿巖而 高皇帝起淮甸命使大征西洋奏凱而歸建靜海寺此其大槩也遂題於壁而記之　萬曆辛卯冬日

靜海寺重修疏序

明進士吳郡俞彥

都城以南花宮蘭若芙蓉相啣唄聲連起晨夕鈴鼓相聞數十里此何減天竺招提也若城西北隅介定淮金川闉闍之間其門爲儀鳳其地爲龍江其寺爲靜海盖江山邐

落之鄉選一佛址無處稱尊祠茲土河以西爲江涯聚沙浮渚一甌脱不任化城故六朝無遺刹　文皇帝踐祚海夷西洋尚逆顔行爰命專征艨艟千計戰士帥屬以萬萬計迺折鯨鯢颶濤弱浪之外樓帆無恙獲所貢琛異以歸歲奉朝朔　皇靈震蕩説者奇其績謂爲神天護呵合建寺酬報　詔可賜今額遂爲名刹焉兩河之壖氣運興發烟火萬家縣此饒積矣守寺緇禪亦稍稍仰爨一方僅自生活不暇謀殿宇然二百年來風雨漂剝歲月凋朽寖寖失觀也住持某籌葺之膜拜問疏不佞嘗臆其地之勝南臨鳳衢郊坰迴互北枕獅嶺岡原巀嶪東則城堞百雉日

月之所閃逼西則長江萬里雲霞之所噴薄使槎星渡登崖而裵徊旅艦風停蹀汜以周覽廛市輻輳物力充牣洵吳楚之上遊都畿之鉅鎮也故寺之旁近左側屯爲步騎列爲戰舸設爲關厰登城閱武之隙重臣弭節以飲軍實梗楠征榷之暇部署停軒以息公餘幢旛參差與旗旄分色鐘磬清嘹並鉦角爭響是奚詎破苻葦茭牧之曠貧雲水烟霞之棲供瓶履杖鉢之甜憩實壯我　皇圖之萬一也若夫長廊廣殿鱗次翬飛香積經臺馬鳴獅吼散花成雨植樹干雲高極摘星華爭耀日潮音閣者罡風晝響恍度落伽之山海氣晨朝宛聞靈巖之韻憑欄則宮闕標觧推

牖則山川獻色亦足勝矣復有靈石奇形怪狀踞虎蹲鴟突起危岩削成飛岫說者謂如獅子頭盤伏其間上拂雲根下連地脉源泉不涸洞壑常陰經年潭浸苔花坐暑寒生肌粟可游可咏尤最勝云至於阿羅漢像水陸畢陳巧奪造化之奇博山軍持卣彝共存精含制作之妙此使者得之西洋藏之茲寺即他崇刹不得與論珍饋名蹟遠而未湮欄楯久而易壞目睹摧敝足履艱險登樓心悸入殿神驚非無王舍城之上足給孤園之長者嗟夫人情各識難除但狃現前未思來劫不知人生如夢中境如空中華百年之身與物俱盡何有常處惟施之福地植之悲

田名勒不磨功存永世今寓内廢刹遺基多存叔達之墟斷石殘碑尚繫子雲之蹟明宿開山王珣捨宅至今讚嘆以爲勝事夫寸念資福一夫樂施砂礫之場特開寶刹況已成之業不費之基廢之病甚于無修之功省于剏如發大願心爲無量施共勸此舉豈獨棲玄之流行路之侶誦功仰德繼往者海邦之烈賴以聿新最勝之業斯其卓哉

遊盧龍山記略　明禮部侍郎呂柟

嘉靖壬辰九月六日葉大暨黄日恩楊叔用周宗道倪維熙過鷲峰東所曰涇野子久僻居於此今登高節至盍爲盧龍遊乎予方小疾辭諸友且易期曰至十四五來日先

佳也已而連雨至十三日乃霽遂於明日至山宴於東道院老子堂酒半躡石磴上山路險峻甚乃以二僕挽扶而升至翠微巳三憇乃至其巔磨盤平即閱江樓舊址也縱目四望方山青龍東峙牛首花巖南拱其西定山迤邐綿亘黃巖褒江而東直抵瓜步皆可見也內則鍾山崒嵂建極而起萬松森蔚　祖陵攸棲而長江羣峰四面旋繞眞天造地設平下見巨艘絡繹指北而趨足可觀一統之盛初　皇祖欲建閱江樓於此惜其費財而止乃歎臣下無一人來諫夫此樓若建費亦不多乃　皇祖猶有此言若見後世無益之作不知當何如也時有數鳶飛鳴旋繞空

中適當坐上弓遂有日月雙懸度乾坤一水流之句須臾皓月東升遂偕諸友秉月而歸如前約

詩

登盧龍山　明金大車

百尺重巖草木齊古藤垂引躡雲梯山間晚霧浮窻近江上陰雲壓樹低塞鴈橫空迷北固淮流帶雨入清溪吾徒飛動悲遲暮散髮空林聽鳥啼

遊靜海寺　明蔡羽

夜宿猶依白鷺洲朝遊忽到古城頭江聲不為行人許山色常含往代愁葉下碧欄蕭寺晚馬嘶紅苑北門秋風流總是周南客看海啣杯一倚樓

刹一百一庵

在都門外西城地南去所領静海寺一里儀鳳門一里半

殿堂　關聖殿壹楹　祖師殿壹楹　僧院壹房　基址壹畝　東至康家　南至城河　西至官街　北至官街

小刹　金川門積善菴

在都門外西城錦衣水軍三所地南去所領静海寺三里金川門三里

殿堂　韋馱殿叁楹　佛殿叁楹　左華嚴樓叁楹　僧院壹房　禪院陸楹　基址貳畝　東至本衛四所　南至城墻　西至栅欄街　北至外城

金陵梵刹志　卷十八　天界寺所統　靜海寺　七

堂
大路

清凉寺右景
長江
石頭城
城河
清江門
大

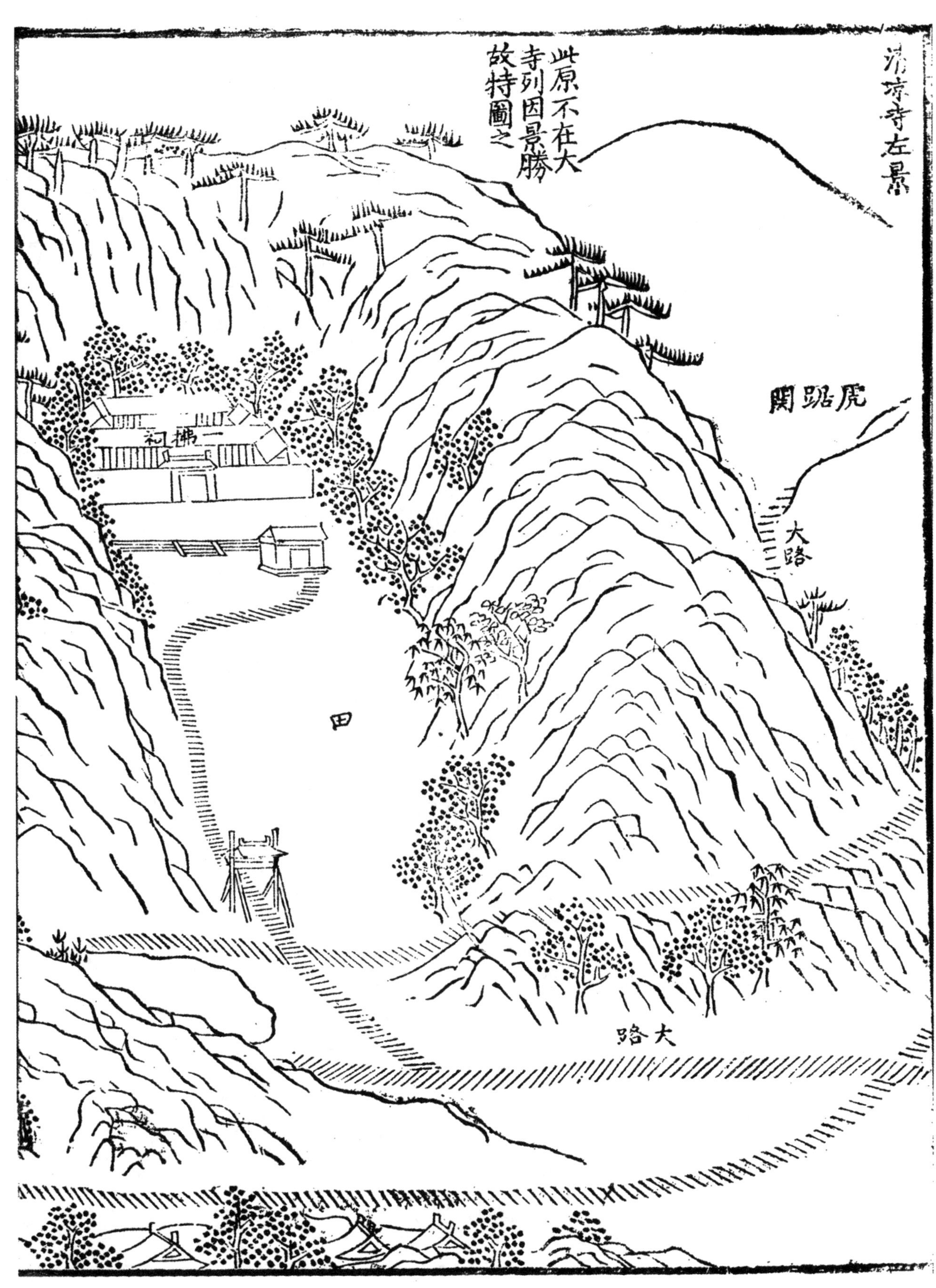
清凉寺左景
此原不在大
寺列因景勝
故特圖之
虎踞關
大路
一拂祠
田
大路

清涼臺
法堂
佛殿
天王殿
鐘樓
金剛殿
水洞
水洞
鉢盂山
四松庵
烏龍潭
靈應觀

金陵梵刹志卷十九

中剎　石頭山清涼寺　古剎　勑賜

在都城西清江門內中城地南去所統天界寺十二里古清涼山吳順義中徐温建爲興教寺南唐改石頭清涼大道場宋太平興國五年改清涼廣惠禪寺後數廢國初洪武間　周王重建改額清涼寺左脅而上爲清涼臺山不甚高而都城宮闕倉廩歷歷可數俯視大江如環映帶臺基平曠原係南唐翠微亭舊址今亦有亭可登覽所領小剎曰伽藍菴

殿堂　山門叁楹　天王殿叁楹　左鐘樓壹座　佛殿伍楹　左伽藍殿壹楹

右祖師殿伍楹毘盧殿叄楹方丈捌楹僧院玖房基址貳拾畝

東至耿公書院　西至王唯心菴

南至官街　北至本寺山亭

禪院叄楹廚房壹楹

山水

石頭山自江北來山皆土至此始有石故名駐馬坡山後諸葛孔明嘗駐馬于此以觀形勢晉時江在石頭下爲險要必爭之地上築城嘗以腹心大臣守之南北戰伐咸據此爲勝負江乘地記曰吳之石城猶楚之九疑也龍洞又名桃源洞烏龍潭寺外山下相傳有黑物似龍能興雲雨

古蹟

翠微亭在山巔南唐時建宋乾道間毀紹熙中復建淳熙中總領陳絢新而大之爲登臨處故山頂如砥今亦建亭其上[illegible]下受暑亭址無考李氏避暑宮址無考

德慶堂後主常[illegible]中親書[illegible]三絕董羽畫龍後主八分書李霄遠草書共爲三絕彌陀像宋蘇軾嘗[illegible]寺有贊見[illegible][illegible]處鄭介公俠隨父暈赴江寧府監稅得清凉寺一

小閣閉戶讀書[illegible]江南李氏時有一民死而
惟冬至日歸省[illegible]復甦云至冥司見先主被
五木甚嚴曰吾爲宋齊丘所誤殺和州降者千餘人
汝歸謂嗣君凡寺觀鳴大鐘苦則暫息或能爲吾造
一鐘甚善後主造鐘于清涼寺鐫云追薦烈祖
孝高皇帝脫幽出苦出新志○以上俱無存

人物 南唐 文益有傳 悟空有傳 法燈有傳 文遂有傳

文 清涼寺阿彌陀佛贊 宋學士蘇軾

蘇軾之妻王氏名閏之字季章年四十六元祐八年八月一日卒于京師臨終之夕遺言捨所受用使其子邁追過爲畫阿彌陀佛紹聖元年六月九日像成奉安於金陵清涼寺贊曰 佛子在時百憂繞臨行一念何由了口誦南無阿彌陀如日出地萬國曉何況自捨所受用畫此圓滿

天日表見聞隨喜悉成佛不擇人天與蟲鳥但當長作平等觀本無憂喜與壽天丈六金身不爲大方寸千佛夫豈小此心平處是西方閉眼便到無魔嬈

重建清涼寺碑略　明南吏部尚書雲間錢溥

金陵石城西古有清涼寺在吳順義中徐温重建爲興教寺南唐改石頭清涼大道場宋太平興國間改清涼廣惠寺　皇明洪武三十五年　周王重建賜額清涼寺復命太子少師姚廣孝爲僧錄左善世迨今餘八十年殿宇脫落漫漶宣城伯衛頴同主僧德廣捐貲重建以成化十四年十月　日經始而工畢于明年三月　日

遊清涼廣慧寺記

宋陸游

清涼廣慧寺距城里餘據石頭城下臨大江南直牛頭山氣象甚雄然壞於兵火舊有德慶堂在法堂前堂牓乃南唐後主撮襟書石刻尚存而堂西徙矣又有南唐元宗祭悟空禪師文登石頭西望宣化渡及歷陽諸山眞形勝之地若異時定都建康則石頭當仍爲關要或謂今都城徙而南石頭雖守無益蓋未之思也惟城既南徙秦淮乃横貫城中六朝立柵斷航之類緩急不可復施然大江天險都城臨之金湯之勢比六朝爲勝豈必依淮爲固耶

遊清涼山記畧

明南兵部尚書喬宇

石城門內之北二里有山環遶經石梁入徑至清涼寺其寺乃南唐李主避暑處故曰清涼至今多竹相傳其所遺者其山面城平曠中有奇基乃翠微亭之故址也登眺則都城宮闕軍廬官府居民街巷遠而長江列巘皆歷歷在目城中具山水之幽盡登覽之勝者無如此山徑南折有靈應觀臨烏龍潭面城負山亦幽隱而登眺則不及也

傳

文益禪師傳略　　五燈會元

金陵清涼院文益禪師住清涼一日與李主論道罷同觀牡丹花主命作偈師即賦曰擁毳對芳叢由來趣不同髮從今日白花是去年紅艷冶隨朝露馨香逐晚風何須待

零落然後始知空主頓悟其意

文益禪師傳　傳燈錄

餘杭人也姓魯氏七歲依新定智通院全偉禪師落髮弱齡禀具於越州開元寺屬律匠希覺師盛化于明州鄮山育王寺師往預聽習究其微旨復傍探儒典遊文雅之場覺師目爲我門之游夏也師以玄機一發雜務俱捐振錫南邁抵福州長慶法會雖緣心未息而海衆推之尋更結侶擬之湖外既行值天雨忽作溪流暴漲暫寓城西地藏院因參琛和尚琛問曰上坐何往師曰邐迤行脚去曰行脚事作麽生師曰不知曰不知最親切師豁然開悟與同

行進山主等四人因投誠咨決悉皆契會次第受記各鎮一方師獨於甘蔗洲卓庵因議留止進師等以江表叢林欲期歷覽命師同往至臨川州牧請住崇壽院初開堂日中坐茶筵未起四衆先圍遶法坐時僧正白師曰四衆已圍遶和尚法坐了師曰衆人却叅眞善知識少頃升坐大衆禮請訖師謂衆人既盡在此山僧不可與言與大衆舉一古人方便珍重便下坐時有僧出禮拜師曰好問着僧方申問次師曰長老未開堂不荅話子方上座自長慶來師舉先長慶稜和尚偈而問曰作麼生是萬象之中獨露身子方舉拂子師曰恁麼會又爭得曰和尚尊意如何師

曰喚什麼作萬象曰古人不撥萬象師曰萬象之中獨露身說什麼撥不撥子方豁然悟解述偈投誠自是諸方會下有存知解者翕然而至始則行行如也師微以激發皆漸而服膺海衆之衆常不減千計師上堂大衆立久乃謂之曰只恁麼便散去還有佛法也無試說看若無又來這裏作麼若有大市裏人聚處亦有何須到這裏諸人各曾看還源觀百門義海華嚴論涅槃經諸多策子阿那箇教中有這箇時節若有試舉看莫是恁麼經裏有恁麼語是此時節麼有什麼交涉所以微言滯于心首嘗爲緣慮之場實際居於目前翻爲名相之境又作麼生得翻去若也

翻去又作麽生得正去還會麽莫只恁麽念策子有什麽用處僧問如何披露即得與道相應師曰汝幾時披露即與道不相應問六處不知音時如何師曰汝家眷屬一群子師又曰作麽生會莫道恁麽來問便是不得汝道六處不知音眼處不知音耳處不知音若也根本是有爭解無得古人道離聲色著聲色離名字著名字所以無想天修得經八萬大劫一朝退墮諸事儼然蓋爲不知根本眞實次第修行三生六十劫四生一百劫如是直到三祇果滿他古人猶道不如一念緣起無生超彼三乘權學等見又道彈指圓成八萬門刹那滅却三祇劫也須體究若如此

用多少氣力僧問指卽不問如何是月師曰阿那箇是汝不問底指又僧問月卽不問如何是指師曰月曰學人問指和尚爲什麽對月師曰爲汝問指江南國主重師之道迎入住報恩禪院署淨慧禪師師上堂謂衆曰古人道我立地待汝覯去山僧如今坐地待汝覯去還有道理也無那箇親那箇疎試裁斷看問洪鐘才繫大衆雲臻請師如是師曰大衆會何似汝會問汝何是古佛家風師曰什麽處看不足問十二時中如何行履卽得與道相應師曰取捨之心成巧僞問古人傳衣當記何人師曰汝什麽處見古人傳衣問十方賢聖皆入此宗如何是此宗師曰十方

賢聖皆入問如何是佛向上人師曰方便呼爲佛問聲色兩字什麽人透得師却謂衆曰諸上座且道這箇僧還透得也未若會此問處透聲色卽不難問求佛知見何路最徑師曰無過此問瑞草不凋時何如師曰謾語問大衆雲集請師頓決疑網師曰寮舍内商量茶堂内商量問雲開見日時如何師曰謾語眞箇問如何是沙門所重處師曰若有纖毫所重卽不名沙門問千百億化身於中如何是清淨法身師曰總是問簇簇上來師意如何師曰是眼不是眼問全身是義請師一決師曰汝義自破問如何是古佛心師曰如何是古佛心師曰流出慈悲喜捨問百年暗

室一燈能破如何是一燈師曰論什麽百年問如何是正眞之道師曰一願也教汝行二願也教汝行問如何是一眞之地師曰地則無一眞曰如何卓立師曰轉無交涉問如何是古佛師曰即今也無嫌處問十二時中如何行履師曰步步踏着問古鏡未開如何顯照師曰何必再三問如何是諸佛玄旨師曰是汝也有問承教有言從無住本立一切法如何是無住本師曰形興未質名起未名問亡僧衣衆僧唱祖師衣什麽人唱師曰汝唱得亡僧什麽衣問蕩子還鄉時如何師曰將什麽奉獻曰無有一物師曰日給作麽生師後遷住清凉上堂示衆曰出家人但隨時

及節便得寒即寒熱即熱欲知佛性義當觀時節因緣古今方便不少不見石頭和尚因看肇論云會萬物爲己者其唯聖人乎他家便道聖人無己靡所不己有一片言語喚作參同契末上云竺土大僊心無過此語也中間也只隨時說話上座今欲會萬物爲己去蓋爲大地無一法可見他又囑人云光陰莫虛度適來向上座道但隨時及節便得若也移時失候即是虛度光陰於非色中作色解上座於非色中作色解即是移時失候且道色作非色解還當不當上座若恁麽會便是沒交涉正是癡狂兩頭走有什麽用處上座但守分隨時過好珍重問如何是清涼家

風師曰汝到別處但道到清凉來問如何得諸法無當去師曰什麽法當著上座曰爭柰日夕何師曰閑言語問觀身如幻化觀内亦復然時如何師曰還得恁麽也無問要急相應唯言不二如何是不二之言師曰更添些子得麽問如何是法身師曰這箇是應身問如何是第一義師曰我向汝道是第二義師問修山主毫釐有差天地懸隔兄作麽生會修曰毫釐有差天地懸隔師曰恁麽會又爭得修曰和尚如何師曰毫釐有差天地懸隔修便禮拜師與悟空禪師向火拈起香匙問悟空云不得喚作香匙兄喚作什麽悟空云香匙師不肯悟空却後二十餘日方明此

語因僧齋前上參師以手指簾時有二僧同去捲簾師曰一得一失因雲門問僧什麽處來云江西來門云江西一隊老宿寱語住也未僧無對僧問師不知雲門意作麽生師曰大小雲門被這僧勘破師問僧什麽處來曰道場來師曰明合暗合僧無語師令僧取土添蓮盆僧取土到師曰橋東取橋西取曰橋東取師曰是眞實是虛妄師問僧什麽處來曰報恩來師曰衆僧還安否曰安師曰喫茶去師問僧什麽處來曰泗洲禮拜大聖來師曰今年出塔否曰出師却問傍僧曰汝道伊到泗洲不到師問寶資長老古人道山河無隔礙光明處處透作麽生是處處透底光

資曰東畔打羅聲師指竹問僧還見麽曰見師曰竹來眼裏眼到竹邊僧曰總不恁麽有俗士獻師畫障子師看了問曰汝是手巧心巧曰心巧師曰那箇是汝心俗士無對僧問如何是第二月師曰森羅萬象曰如何是第一月師曰萬象森羅師緣被於金陵三坐大道場朝夕演旨時諸方叢林咸遵風化異域有慕其法者涉遠而至玄沙正宗中興於江表師調機順物斥滯磨昏凡舉諸方三昧或入室呈解或叩激請益皆應病與藥隨根悟入者不可勝紀師以周顯德五年戊午七月十七日示疾國主親加禮問閏月五日剃髮沐身告衆訖跏趺而逝顏貌如生壽七十

有四臘五十四城下諸寺院具威儀迎引公卿李建勳以下素服奉全身於江寧縣丹陽鄉起塔諡大法眼禪師塔曰無相嗣子天台山德韶文遂慧炬等一十四人先出世並爲王侯禮重次龍光泰欽等四十九人後開法各化一方如本章敘之後因門人行言署玄覺導師請重諡大智藏大導師三處法集及著偈頌眞贊銘記詮注等凡數萬言學者繕寫傳布於天下

悟空禪師傳　　傳燈錄

北海人姓王氏幼出家十九納戒嘗自謂曰苟尚能詮則爲滯筏將趣凝寂復患墮空既進退莫決捨二何之乃參

尋宗匠緣會地藏和尚後繼法眼住撫州崇壽甲辰歲江南國主創清涼大道場延請居之上堂示衆曰古聖才生下便周行七步目顧四方云天上天下唯我獨尊他便有這箇方便奇特只如諸上座初生下時有箇什麽奇特試舉看若道無即對面諱却若道有又作麽生通得箇消息還會麽上座幸然有奇特事因什麽不知去珍重僧問如何是佛師曰汝是衆生曰還肯也無師曰虚設此問問如何是西來意師曰汝道此土還有麽問省要處乞師一言師曰珍重問如何是道師曰本來無一物可處有塵矣曾禮拜師曰莫錯會問如何是一塵入正受師曰色即空曰

如何是諸塵三昧起師曰空卽色問諸餘不問如何是悟空一句師曰兩句也問牛頭未見四祖時爲什麼百鳥銜華師曰未見四祖曰見後爲什麼不銜華師曰見四祖問如何是自己事師曰幾處問人來問古人得箇什麼卽便休歇去師曰汝得箇什麼卽不休歇去問如何是學人出身處師曰千般比不得萬般況不及曰請和尚道師曰古亦有今亦有問如何是亡僧面前觸目菩提師曰問取髑髏後人問如何是諸佛本源師曰汝喚什麼作諸佛問雨華動地始起雷音未審和尚此日稱揚何事師曰向上座道什麼曰恁麼卽得遇清涼也師曰實卽得問毒龍奮迅

萬象同然時如何師曰你什麼處得這箇問頭師平日居方丈唯毳一襪每哂同叅法眼多爲偈頌晉天福八年癸卯十月朔日遣僧往報恩院命法眼禪師至方丈囑付又致書辭國主取三日夜子時入滅國主屢遣使候問令本院至時擊鐘及期大衆並集師端坐警衆曰無棄光影語絶告寂時國主聞鐘登高臺遥禮清涼深加哀慕仍致祭荼毗收舍利建塔

法燈禪師傳　　傳燈録

泰欽魏府人也生而知道辯才無礙入淨慧之室海衆歸之僉曰敏匠初受請住洪州幽谷山雙林院上堂未陞座

乃曰此山先代一二尊宿曾說法來此座高廣不才何陞昔古有言作禮須彌燈王如來乃可得坐且道須彌燈王如來今在何處大衆要見麼一時禮拜師便陞座有僧出禮拜師曰道者前時謝汝請我將什麼與汝好僧擬問次師曰將謂相悉却成不委師住上藍護國院僧問十方俱擊鼓十處一時聞如何是聞師曰汝從那方來問善行菩薩道不染諸法相如何是菩薩道師曰諸法相曰如何得不染相去師曰染着什麼處問不久開選場還許學人選也無師曰汝是點額人又曰汝是什麼科目問如何是演大法義師曰我演何似汝演師次住金陵龍光院上堂陞

座維那白椎云法筵龍象衆當觀第一義師曰維那是第二義長老只今是第幾義師又舉衣袖謂衆曰會麼大衆此是山呼舞蹈莫道五百生前曾爲樂主來或有疑情請垂見示有僧問如何是諸佛正宗師曰汝是什麼宗曰如何師曰如何卽不會問上藍一曲師親唱今日龍光事若何師曰汝什麼時到上藍來曰諦當事如何師曰不諦當卽別處覓問如何是佛法大意師曰且問小意却來與汝大意師後入金陵住淸涼大道場上堂陞座僧出問次師曰這僧最先出爲大衆已了荅國主深恩問國主請命祖席重開學人上來請師直指心源師曰上來却下去問法

眼一燈分照天下和尚一燈分付何人師曰法眼什麼處
分照來江南國主爲鄭王時受心法於淨惠之室暨淨惠
入滅復嘗問於師曰先師有什麼不了底公案師對曰見
分析次異日又問曰承聞長老於先師有異聞底事師作
起身勢國主曰且坐師謂衆曰先師法席五百衆今只有
十數人在諸方爲導首你道莫有錯指人路底麼若錯指
教它入水入火落坑落塹然古人又道我若向刀山刀山
自摧折我若向鑊湯鑊湯自消滅且作麼生商量言語即
熟及問着便生疎去也如何只爲隔闊多時上坐但會我
什麼處去不得有去不得者爲眼等諸根色等諸法諸法

且置上座開眼見什麽所以道不見一法即如來方得名爲觀自在珍重開寶七年六月示疾告衆曰老僧臥疾強牽拖與汝相見如今隨處道場宛然化城且道作麽生是化城不見古導師云寶所非遙須且前進及至城所又道我所化作今汝諸人試說箇道理看是如來禪祖師禪還定得麽今火風相逼去住是常道老僧住持將逾一紀每承國王助發至于檀越十方道侶主事小師皆赤心爲我默而難言或披麻帶布此即順俗我道違眞且道順好違好然但順我道即無顛倒我之遺骸必於南山大智藏和尚左右乞一墳冢升沉皎然不淪化也努力努力珍重即

其月二十四日安坐而終

文遂導師傳　　傳燈錄

杭州人姓陸氏六歲好學禮池州僧正落髮登戒年十六觀方禪教俱習嘗究首楞嚴經十軸於是節科注釋文句交絡厥功既就謁淨慧禪師淨慧問曰楞嚴豈不是有八還義師曰是曰明還什麽師曰明還日輪曰日還什麽師懵然無對淨慧誡令焚其所注之文師自此服膺始忘知解初住吉州止觀乾德二年國主延入居長慶次清涼次報慈大道場署雷音覺海大導師師上堂謂衆曰天人群生類皆承此恩力威權上界德彼四生共眞靈光咸稱玅

義十方諸佛常頂戴汝誰敢是非及乎向這裏喚作開方便門對根設教有如此如彼流出無窮若能依而奉行有何不可所以清涼先師道佛即是無事人且如今覓箇無事人不可得僧問崇壽佛法付囑止觀止觀佛法付囑何人師曰汝試舉崇壽佛法看問巔山岩崖還有佛法也無師曰汝喚什麼作巔山岩崖問如何是道師曰妄想顛倒師謂衆曰老僧平日百無所解日日一般雖住此間隨緣任運今日諸上座與本無異僧問如何是無異底事師曰千差萬别再問師曰止止不須說且會取千差萬别問如何是和尚家風師曰方杖板門扇問如何是無相道場師

曰四郎五郎廟問如何是吹毛劒師曰𦾔𩈺杖問如何是正眞一路師曰遠遠近近曰便恁麼去時如何師曰咄哉癡人此是險路師問僧從什麽處來曰撫州曹山來師曰幾程到此曰七程師曰行却許多山林溪澗何者是汝自巳曰總是師曰衆生顛倒認物爲巳曰如何是學人自巳師曰總是又曰諸上座各在止觀經冬過夏還有人悟自巳也無止觀與汝證明令汝眞見不被邪魔所惑

詩

石頭山　　唐李白

石頭巉巗如虎踞凌波欲過滄江去鍾山龍蟠走勢來秀色横分溧陽樹四十餘帝三百秋功名事迹隨東流白馬

小兒誰家子泰清之歲來關囚金陵昔時何壯哉席卷英豪天下來冠蓋散爲煙霧盡金輿玉座成寒灰扣劒悲鳴空咄嗟梁陳白骨亂如麻天子龍沉景陽井誰歌玉樹後庭花此地傷心不能道目下離離長春草遂爾長江萬里心他年來訪商山皓

遊清涼寺　唐温庭筠

黃花紅樹謝芳蹊宮殿參差黛巘西詩閣曉牕藏雪嶺畫堂秋水接瀠溪松飄晚吹摐金鐸竹蔭寒苔上石梯刼跡奇名竟何往下方煙暝草萋萋

遊清涼寺　唐張祜

山勢抱煙光重門突屼傍連簷金像閣半壁石龕廊碧樹叢高頂清池占下方徒悲宦遊意盡日老僧房

清涼寺翠微亭　宋林逋

亭在江下寺清涼更翠微秋階響松子雨壁上苔衣絕境長難得浮生不擬歸放情何討是西崦又斜暉　渺渺江天北雁飛石城秋色送僧歸長干古寺經行少爲到清涼看翠微

贈清涼寺和長老　宋蘇軾

代北初辭沒馬塵江南來見臥雲人問禪不契前三語施佛縱觀丈六身老去山林徒夢想雨餘鍾鼓更清新會須

一洗黃茅瘴未用深藏白氎巾

次舊韻贈清涼長老　　宋蘇軾

過淮入洛地多塵舉扇西風欲汚人但怪雲山不改色豈知江月解分身安心有道年顔少遇物無情句法新送我長蘆舟一葉笑看雪浪滿衣巾

清涼寺竹賦　　宋王嵎

稜欒兮娟娟玉立兮露寒翠青葱兮薈蔚鳳鸞舞兮琅玕風之來兮天之庭過巖谷兮韻秋聲金鏁碎兮蒲墜日暉暉兮淨明若有人兮凜高節歷歲寒兮傲霜雪我欲從之兮路修絶隔秋水兮共明月

清涼白雲庵　宋王安石

庵雲作頂峭無鄰，衣月爲衿靜稱身。木落岡巒因自獻，水歸洲渚得橫陳。

遊清涼寺　明黄省曾

古刹石城裏，逶迤丹磴攀。殿懸秋靄樹，江吐夕陽山。法食供遊饌，林杯悅旅顔。無勞支遁馬，碧草步人還。

登清涼寺後臺　明李東陽

虎距關高鷲嶺尊，四山環遶萬家村。城中一覽無餘地，象外空傳不二門。人世百年同俯仰，江流今古此乾坤。南都勝槩今如許，歸向長安父老論。

遊清涼寺二首　明王守仁

春尋載酒本無期乘興還嫌馬足遲古寺共憐春草沒遠山偏與夕陽宜雨晴澗竹消蒼粉風煖巖花落紫㽔昏黑更須凌絶頂高懷想見少陵詩　積雨山行已後期更堪多病益遲遲風塵漸覺初心負丘壑眞於野性宜綠樹陰層新作蓋紫蘭香細尚餘㽔輞川圖畫能如許信是無聲亦有詩二

送陳揚州暮登清涼山　明王世懋

石頭城外醉離觴把袂登臨興未央秋爲帝京辭慘淡地緣天界倍清涼江吞疊嶂連雲白煙鎖千家帶日黃久

坐不愁歸路杳尼珠猶可照迷方

小剎伽藍菴

在都城内中城留守右衛地北去所領清涼寺半里

殿堂韋馱殿叄楹佛殿叄楹僧院壹房基址貳畝東至陶家山南至官街西至蔣家山北至陶家山

金陵梵刹志卷十九終

金陵梵刹志卷二十

中刹 永慶寺 古刹 勑賜

在都城内北門橋虎賁右衛中城地南去所領天界寺十二里梁天監間永慶公主香火因名寺有塔又名白塔寺代遠頹圮惟塔獨存　國朝洪武間魏國具奏重建　賜今額正德間重修其地深僻林竹蒼翠蕭然野曠出寺左數十武有謝公墩極登眺之勝所領小刹曰獅子窟定林菴淨樂菴虎賁正覺菴淨土菴

殿堂 山門叁楹 天王殿伍楹 正佛殿伍楹 左立佛殿叁楹 伽藍殿叁楹 右觀音殿叁楹 寶塔壹座 祖師殿叁楹 鐘鼓樓貳座 廻廊貳拾

貳楹方丈拾楹僧院拾肆房基址肆百壹拾陸丈東至官路南至謝公墩西至旗手衛倉北至乾河沿禪院叁楹

古蹟　謝公墩寺右相傳爲謝安遊覽處墩不甚高實據江山城闕之勝

文　永慶寺緣起畧　明住持宗海

永慶寺係梁武帝天監間永慶公主香火累代年深殿堂廊廡傾頹無存止有塔一座舊基今左都督徐增壽同僧清古澗於洪武三十五年四月内具本奏准重建永慶講寺啟造佛殿天王等殿及衆僧房修理寶塔後於永樂六年正月二十六日南京僧録司右覺義妙秉於靈谷寺口奏本寺重修與古澗養老又於永樂十年住持宗海移基

重建正殿天王金剛等殿廊廡僧房　正統十年八月十五日

詩

登金陵冶城西北謝安墩　唐李白

此墩即晉太傅謝安與右軍王羲之同登超然有高世之志余將營園其上故作是詩

晉室昔橫潰，永嘉遂南奔。沙塵何茫茫，龍虎鬬朝昏。胡馬風漢草，天驕蹙中原。哲匠感頹運，雲鵬忽飛翻。組練照楚國，旌旗連海門。西秦百萬衆，戈甲如雲屯。投鞭可填江，一掃不足論。皇運有返正，醜虜無遺魂。談笑遏橫流，蒼生望斯存。冶城訪古跡一作至今古城隅，猶有謝安墩。憑覽周地險，高標絕人喧。想像東山姿，緬懷右軍言。梧桐識嘉樹，蕙草留

芳根白鷺映春洲青龍見朝暾地古雲物在臺傾禾黍繁我來酌清波于此樹名園功成拂衣去歸入武陵源

謝安墩　　宋王安石

我名公字偶相同我屋公墩在眼中公去我來墩屬我不應墩姓尚隨公

謝公墩　　宋王安石

走馬白下門投鞭謝公墩昔人不可見故物尚或存問樵樵不知問牧牧不言摩挲蒼苔石點檢屐齒痕想此結長檐想此倚短轅想此玩雲月狼籍盤與罇井逕亦已沒然禾黍村摧藏羊曇骨放浪李白魂亦已同山丘綺[illegible]

蘭蓀小草戲陳迹甘棠詠遺恩萬事付鬼籙恥榮何足論天機自開闔人理孰畔援公色無懼喜儻知禍福根涕淚對桓伊暮年無乃昏

示永慶院秀老　宋王安石

禪房借枕得重欹陳迹倏然尚有詩嗟我與公皆老矣拂天松栢見栽時

永慶寺　明顧璘

城郭晴光蕩客車古巖高寺切清虛鶯花不斷人天界龍象常依水竹居雲裏壺觴吞海色山中風物似秦餘靈蹤咫尺常難到莫怪歸遲月滿衢

九日登謝公墩分得今字　明焦竑

謝公臨眺處勝日一招尋我輩還時序荒墩自古今天空江影淨木脫鴈聲沈不有茱萸酒其如搖落心

刹 獅子窟

在都城內鷹揚倉後北城地南去所領永慶寺一里僧瑞麟建董太史玄宰書額林徑僻叉竹樹薈蔚是山林幽寂處

殿堂　佛殿叁楹　禪房　楹　基址　畝

小刹 定林菴

在斗門橋西　城地西南去所領永慶寺二里僧定林

剏因名菴

殿堂佛殿叄楹　僧院壹房　基址　畝

文

定林菴記

明溫陵李贄

余不出山久矣會萬曆戊戌焦弱侯歸白下余隨之故余亦至白下至白下則詣定林菴而菴猶然無恙者則以定林在日素信愛於弱侯也定林不受徒衆今來住持者皆弱侯擇僧守之實不知定林作何面目則此菴第屬定林創建耳名曰定林菴不虛耶定林創菴甫成即舍去牛首復創大華嚴閣弱侯碑紀其事甚明也閣甫成又舍去之楚訪余於天中之山而遂化於天中山塔於天中山馬伯

時隱此山時特置山居一所度一僧使專守其塔矣今定林化去又十二年余未死又復來此復得見定林菴夫金陵古多名刹卽廢與興誰復念者區區一定林菴安足爲輕重而舊椽敗瓦人不忍毀則此菴雖小實賴定林久存名曰定林菴豈虛耶夫定林白下人也自幼不茹葷血又不娶日隨周生赴講學會塲當時所謂周安者是也余未嘗見周安與生但見其隨楊君道南至京邸耳時李翰峰李如眞二先生俱在京告余曰周安知學子欲學幸毋下視周安也葢周安本隨周生執巾屨之任乃周生不力學而周安供茶設饌時時竊聽或獨立簷端或拱身柱側不

歆不倚不退不倦卒致斯道又曰周安以周生病故而道南乃東南名士終歲讀書破寺中故周安復事道南夫以一周安乃得身事道南又得二李先生嘆羡弱侯信愛則周安可知矣後二年余來金陵獲交周安而道南不幸遂死周安因白弱侯曰吾欲爲僧夫吾迄歲山寺只多此數莖髮耳不剃何爲弱侯無以應遂約余及管東溟諸公送周安於雲松禪師處披剃爲弟子改法名曰定林此定林之所由名也弱侯又於館側別爲菴院而余復書定林菴三字以匾之此又定林菴之所由名也弱侯曰菴存人亡見菴若見其人矣其人雖亡其菴尚存則人亦存雖然人

今已亡菴亦安得獨存惟有記述庶幾可久公不可以不記也余謂菴不足記也定林之菴不可以不記也今不記恐後我而生者且不知定林爲何物此菴爲何等矣夫從古以來僧之有志行者多矣獨定林哉余獨怪其不辭卑賤而有志於聖賢大道也故曰賤莫賤於不聞道定林自視其身爲何如者故衆人卑之以爲賤而定林不知也今天下冠冕之士儼然而登講帷口談仁義手揮麈尾可謂尊且貴矣而能自貴者誰歟況其隨從於講次之末者歟又況於僕厮之賤鞭箠之輩不以爲我勞則必以爲無益於克囊胞腹且相率攘袂而竊笑矣肯俛首下心歸禮窮

士目倚簷楹欣樂而忘其身之賤必欲爲聖人然後已者耶古無有矣是宜記遂爲之記不記菴專記定林名菴之由葢所以自厲亦所以風厲於將來者嗚呼道不虚談學務實效則此定林菴始不虚耳　萬曆戊戌夏日

小剎淨樂菴

在都城内北門橋虎賁右衛地西去所領永慶寺半里

殿堂觀音殿壹楹佛殿叁楹僧院壹房基址拾畝東至沐府西房　西至永慶寺　北至民房　門　南至民

小剎虎賁左衛正覺菴

在都城内西城虎賁左衛地西南去所領永慶寺半里

殿堂　山門叁楹　佛殿叁楹　僧院壹房　基址貳畝東至木樨園西至永慶寺南至官街北至干河岸

小刹　淨土菴

在都城内　城府軍衛地西去所領永慶寺四里

殿堂　伽藍殿叁楹　佛殿叁楹　基址貳畝東至官巷西至官巷南至朱家塘北至朱家房

金陵梵刹志卷二十　終

金陵梵刹志卷二十一

中剎 鳳凰臺瓦官寺 古剎有二寺在山上者爲上瓦官寺在平地者爲下瓦官寺

在都城內中城鳳凰臺南去所統天界寺五里晉興寧二年詔以陶官地施爲瓦官寺梁時就建瓦官閣唐昇元改寺曰昇元寺閣曰昇元閣宋太平興國改崇勝戒壇 國初寺廢半爲徐魏公族園半入驍騎衛倉嘉靖間徐園旁積慶菴改建名門瓦官寔非寺址鳳凰臺右故有小菴一區萬曆十九年僧圓梓募魏公及諸檀越盡贖臺地大建剎宇攷志前瞰江面後據崇岡則茲菴爲是因正額上瓦官改積慶下瓦官附之所領小剎曰華

光菴　一葦菴　五雲菴　千佛菴　普利寺　封崇寺　正定菴

殿堂　上寺　金剛殿楹叄　天王殿楹叄　大佛殿楹叄　藏經閣楹叄　左觀音殿楹叄　右禪堂楹陸　僧院房壹　基址肆拾畝東至民房　南至吳家地　西至官街　北至官街　下寺　山門楹壹　二門楹叄　佛殿楹叄　大佛殿楹叄　藏經樓楹叄　禪堂楹叄　僧院房壹　基址拾畝東至上元官寺　南至齊府園　西至城牆　北至萬竹園

山水　鳳凰臺在上寺內正殿之左　放生池約拾畝在上寺內鳳凰臺前

古蹟附　瓦官閣梁建高二百四十尺　昇元閣因山爲基高可十丈平旦閣影半江開寶中燼宋時重建高七丈元燬　玉佛像三絕之一晉義熙中獅子國所獻高二尺四寸玉色絜潤形製殊絕　戴安道佛像三絕之一宋世子鑄丈六銅像既成時議面瘦工人不能改戴顒曰

非面瘦臂胛肥耳因減臂胛患即除

顧長康維摩圖 三絶之一京師記興寧中瓦官寺初置僧衆設會請朝賢鳴刹注疏顧愷之直打刹注一百萬長康素貧時以爲大言後寺成僧請勾疏長康曰宜備一壁遂閉戶往來一百餘日畫維摩一軀工畢將欲點眸子謂寺僧曰第一日開見者責施十萬第二日開可五萬第三日可任例責施及開戶光明照寺施者塡塞俄而果百萬錢也蘇魏公題維摩像云顧生首創維摩詰像有淸羸示病之容隱几忘言之狀陸探微張僧繇效之終不能及

羊車 陸龜蒙古錦記寺有陳後主羊車一輪武后裙一幅錦製絶工

王右軍告誓文 寺修講堂匠人于鴟吻竹筒中得之後李延業求獻岐王

昇元碣 南唐末築昇元閣基得碣云抱鷄昇寶位走馬出金陵子建居南極安仁秉夜燈東陵驕小女騎虎渡河氷後皆驗

三井 按金陵故事瓦官寺後有三井泯一井則三井俱沸因名其地爲三井岡

以上俱無存

人物

晉

智顗 有傳畧又見棲霞 **竺道一** 有傳畧 **竺法汰** 有傳畧 **竺僧**

敷有傳畧 釋慧力晉永和中來遊京師常乞蔬食苦行頭陀至興寧中啓乞陶處爲瓦官寺晉孝武太元中火起塔災帝即勅揚法尚李緒修復 支道林有傳 宋僧導有傳畧 求那摩跋有傳畧 寶意有傳 陳僧洪豫州人止寺造丈六金像鑄畢未及開模晉末銅禁嚴犯必死宋武帝爲相繫洪相府惟誦一心觀世音經夢像手摩其頭曰怖否因云無憂見像胸方尺銅色燋沸後得免仍開模見像胸果燋沸 道祖吳國人遠公稱其易悟曰盡如此輩不復憂後生矣後於瓦官寺講說桓玄每詣觀聽乃謂人曰道祖後發愈於遠公 道宗荊州江陵人住瓦官寺情性眞直不務馳競耳不妄屬口不雜言修乘潔已動靜有度歷學經論了無常師終日寢處卷軸清談高論聽者忘疲

附叅講棲覽

晉劉丹陽王長史桓護軍劉丹陽王長史同在瓦官寺集桓護軍亦在坐共商畧西朝及江左人物或問杜弘治何如衛虎桓答曰弘治膚清衛虎奕奕神令王劉善其言 何次道次道往瓦官寺禮拜甚勤阮思曠語之曰卿志大宇

宙勇邁終古何曰卿今日何故忽見推阮曰我圖數千戶郡尚不能得卿廼圖作佛不亦大乎

張永 嘗請斌公開講永問斌京下復有卓越年少否斌言有沙彌道慧法安永即要請令道慧覆涅槃法安述佛性二人神色自若叙致無遺永問年幾慧言十九安言十八永嘆曰昔扶風朱勃年十二能誦書詠詩時號才童今日二道士可稱義少

王苟子 僧意在瓦官寺中王苟子來與共語便使其唱理意謂王曰聖人有情不王曰無重問曰聖人如柱邪王曰如籌算雖無情運之者有情僧意云誰運聖人邪苟子不得答而去

孫興公 事見支道林傳內

戴安道 年十餘歲在瓦官寺畫王長史見之曰此童非徒能畫亦終當致名恨吾老不見其盛時耳

藏經護敕

萬曆十四年九月

皇帝敕諭瓦官寺住持及僧衆人等朕惟佛氏之教具在經典用以化導善類覺悟羣迷于護國祐民不爲無助茲

者　聖母慈聖宣文明肅皇太后命工刊印續入藏四十一函并舊刻藏經六百三十七函通行頒布本寺爾等務須莊嚴持誦尊奉珍藏不許諸色人等故行褻玩致有遺失損壞特賜護持以垂永久欽哉故諭

〔文〕潤州瓦官寺維摩詰畫像碑　唐元黄之

夫魁北藏樞秉三奇於紫掖崑西運軸森萬族於黄輿方領圓冠棹九流而宗學海霓裳羽服秉六甲而下仙巖雖辰像微茫不能味甘陳之識陬維窅邈不能拄草玄之功仁義與禮樂可遵末出死生之境昏默與淸虛可尚纔居天地之先且造化以六合爲功聖人以二門分教豈夫百

千萬刼量其遠近三十七品語其功業者哉況性相之微不可以名言得處有之妙不可以智力知三千之淨土無邊八萬之法門虛受能住不思義解脫者也維摩詰者華言淨名居士也沒于妙喜之國生于毗耶之城大仙那提之子常脩梵行世號白衣居士焉故總妙圓明現身方丈無起無住不去不來空色空而取真空滅生滅而求寂滅或歸之于無物或得之於默然邪正於是路殊語言由其道斷居士之真宗也若乃家室不離而敎傳緇服天子廻向而身爲白衣讓金粟之尊未卽如來之位晦玉毫之相空留長者之名亦猶百谷之王以下能大六虛之相居高

自卑居士之洪謙也若乃稜外方之諸佛一室規乎四天對樂世之衆生一刼成乎七日毛孔之内鼓大海之波濤芥子之中鬱須彌之巇嶨擲世界於恒沙之外不覺不知攝高堂於大會之前同瞻同仰嵐風動地口吸莫以爲難猛火燃天腹貯但聞其一居士之神通也若乃群邪作梗諸惡延災衆生茹焚溺之悲含識迫傷夷之患由是騁自在之力縱無礙之威破煩惱而擊慳貪斬毒蛇而擒醉象朦幢暫建靣縛四魔智劒纔揮心降六賊故使波旬振讋不能變帝什之容外道摧殘不能竊真如之業居士之威力也若乃非相成光乎是相故見於威儀無言假道於有

言方形於問荅弘乞食之理須菩提但覺茫然聞宴坐之談舍利佛不能加報摩訶迦葉息言於二乘大目揵連吞聲於四衆亦由明鏡内鑒照之而不疲洪鐘外發扣之而必應是以五百弟子同稱我不堪任二千闕人俱盡得無生法忍居士之靈辦也若乃智總大雄心行菩薩雖人我無相以拯救爲懷憂本無憂憂凡俗之憂病本無病病衆生之病窮室貧里等資其福田酒肆婬房廣談其善誘則知去重昏之小翳朗惠日而無私　中根之大甚霑去雨而同潤居士之慈悲也若乃前際後際無昧於因緣成時化時不爲於本願光嚴悟矣行念其道場新學豁然坐知

其宿命晨持乳鉢未息麤言中設飲盂普均香氣有疾菩薩憂惱於是併除犯律比丘疑悔由其傾蓋居士之利益也若迺恭承父訓事方便以崇嚴瞻望母儀奉智度而資受結齊眉於法喜坐詠宜家期上足於塵勞行同入室因風起對共賞慈悲他日趨廷獨推誠實知識慕善道品所有居先伴侶求眞度法由其見託居士之宗黨也若迺上棟下宇空寂爲輪奐之資淨服名衣慙愧入裁縫之用開八正之路則衆馬交馳坐四禪之床則身心不動智慧之果秋番無漏之林淨紗之花春發總持之菀禪悅爲味詎假珍羞解脫充漿寧思玉液奏法音之樂則絲竹[illegible][illegible]燒

果品之香則旃檀罷郁居士之遊處也於是隨意所[illegible]路遐通應緣而攝梁津苑濟恢勇猛之志則火内生蓮廣虛之因則水中現月法本希有若都優曇之花道之將行大備貝多之葉舉閻浮之國土禮敬忘疲想毗耶之人天聲塵不朽居士之遺跡也得其道者則三乘弟子羞稱多聞行其法者則七種學人莫不愛樂是致四天讚仰而無假十地攀接而無階王者資而九有清羣生聞而六念作鎚驪龍改地共尊金粟之儀水土遷行長奉寶臺之供我國家神明造物聖政調時滌瑕穢而玉鏡清剗澆訛而擒大朴牢籠七十七代鬱映萬八千年率土之濱罔有弗

躋普天之下共惟帝臣京坻積而銅爵鳴鐘鼓和而玉羊現將益四生之福爰開十善之因精舍廣祇陁之園列郡揚淨名之教萬姓資其分別八方暢其休明天地平成於是乎汲引在江寧縣瓦官寺變相者晉虎頭將軍顧愷之所畫也爾其上纏珠斗下控金陵六代爲天子之都二分入王孫之國禮讓流行之地英靈誕秀之鄉鷲巖分虎踞之山鴈塔枕盤龍之水總幽閑與形勝則瓦官之寺焉昔有晉莊嚴淨域時梵侶以規模雖廣彫飾未周永念粹華每疚懷於須達共成圓滿而假力於檀那凡厥施財莫匪鳴刹顧君乃連扣資數百竿逾千萬大衆貽愕不知其然

君習氣精微洗心閑雅雖纓弁混俗而繢素通神[illegible]白[illegible]徒令其粉壁於是登月殿掩雲扉致東漢之圖採[西域]之變玅思運則冥會能事畢則功成神光謝而晝夜名[illegible]容開而道俗覩振動世界謂彌勒菩薩下兜率之天照耀虛空若多寶如來踊耆闍之地由是士女駢比擁路爭趨車馬軒轟傾都盛集玉貝交獻須臾而寶藏忽盈青鳧亂飛俄爾而銅山崛起納繒帛者繼踵施衣服者比肩當鳴剎而錐則可驚不崇朝而過其本數非夫精義入神者孰能與此乎雖江山寂寥居處緬邈年移代改畱矦歎過隙之駒城是人非丁令歌化遼之鶴由是觀其道場玅矣謂應

供而來儀床枕儼然疑有懷於問疾目若將視眉如忽嚬口無言而似言鬢不動而疑動豈丹青之所歎詠相好之有靈哉頂禮者肅如在之心瞻仰者發歸依之念信受演說之者大布於人天住持負荷之規實存於牧宰刺史楊令琛懷軌物之量韞不伐之才五服當列土之榮千里負專城之寄移風易俗頻推董相之帷揖道歸眞再擁文侯之篲長史薛宏仁賢雅望邁德於仲舉之輿司馬成景賀以卿相高才屈跡於士元之驥俱遊六藝貯籯金而常滿共逢三朋攬衣珠而永悟縣令陸彥恭風神俊邁境宇恬虛雖馴雉已彰實割雞焉用風亭月牖還開見寶之詞石

冷泉清類忽分襟之賞脩菩薩之行則仰之彌高現宰官之身則威而不猛相門出相兹焉在兹佇聞搏擊鵬衢樓遲鳳沼豈徒播兹風化奏彼絃歌而已哉丞鄭孝義逸氣飛騰英憬倜儻擢命世之標幹揮舍人之符彩我之自出鳳樓鳴五色之鶵家之積善牛渚降九泒之族宏才博學再閲康成之門愛客好賢重覩當時之驛朋友推其令譽人吏偃其高風歷州縣而暫勞獻鹽梅而詎遠主薄于植才藝早著水鏡長懸將騁驥於高門先漸鴻於下位尉史惟清以雍容儒雅門專秉直之風以磊落才雄巖引乘箕之宿則知龍駒千里非黃綬之所羈鵠子九皐惟青天之

是矚家裘不墜望台鉉而相輝堂構克隆見公侯而必復寺主雲影及徒衆并諸寺大德等並法身挺秀覺意圓明屈援提之尊號懷盛明之忍辱四十二之賢聖接踵比肩一十八之虛空心持目想勇猛精進將意耳而齊驅博達多聞與阿難而並鶩言論辨了有類鵬耆體性利根更嘉鴦掘故能經行不倦拯濟忘疲楷模四流筌箄二諦邑人左補闕馮宗右拾遺孫處玄等並資忠履孝抱義懷仁凝大江之精靈鬱高山之景行莫不銜門育德華省馳聲或長揖九徵或光膺八命所以東南董賁江左有人焉既而道俗披誠賓僚訖款濫見推於相　遠不讓於當仁弟子

謬忝詞場夙擢桂林之秀言贍法宇早從祇樹之遊覩泡影之皆虛悟聲色之非實雖心爲形役而志與道俱思惟必在於佛乘夢想無忘於梵行覩居士之跡不可思議閱居士之言得未曾有恨不親承聖旨捧袂於不二之門躬奉尊顔跪履於大千之界託菩薩之下位共拂天花接比丘之末行同窺聖果昔讚舞鸞之化每有願於揄揚今從問鵬之遊豈得默而無述爾時欲重宣此義是以敢作銘云其詞曰元氣浩浩大匠存存鎚鑪精粹折扎乾坤四生有劫六趣無門愛流夕漲塵飛晝昏其一巍哉世雄應期來現妙矣居士隨緣利見大庇生靈遂荒臺殿劫塵遐邈恒

沙法遍其二空床寂寂虛室閑閑文殊奄至波旬遽還扳毛沃海剖芥藏山地分珠柱天潤玉顏其三智惠無邊威靈具足廣延寶坐高蹈金粟振動人天津梁道俗火宅垂蔭幽途炳燭其四於赫有晉像教斯傳繢事　矣靈儀在焉神光夕照瑞相朝圓杷如電掣皎若星懸其五我皇垂拱誕膺寶位控引四流陶鈞萬類法關玅有靈通夢寐政事以和物無不利其六天陰南斗地擁東吳江山作固臺壘稱都俗富英傑人多給孤莊嚴結構炳煥規模其七瞻彼邦邑媚茲寮寀化偃一同聲馳四海冰玉常瑩松筠不改迺聰道場肅焉如在其八薄遊淨域永念毗耶香如致飯衣似持花嚬吝

[illegible]函降懷方丈會想無遮九其杳杳三界茫茫九

有瞻仰睟容今手式刊貞石僉圖不朽盛列鴻名天

長地久十其

昇元寺

宋方輿勝覽

昇元寺即瓦棺寺在城西隅前瞰江面後據崇岡最為古跡李主時昇元閣猶在乃梁朝故物高二百四十丈李白詩所謂日月隱簷楹是也今西南隅戒壇乃是故基南唐將歸我宋數年前昇元寺殿基掘得古記及詩讖其辭

老問江南事江南事可憑抱雞昇寶位謂李煜丁酉生也走犬出金陵謂王師甲戌渡江也子建居南極曹彬列

栅城南乃子建也安仁秉夜燈謂潘美恐有伏兵命縱火也東陵驕小女騎虎渡河氷錢俶以戊寅年入朝盡獻浙西之地騎虎之謂也瓦棺寺之名起自西晉長興年中長沙城河陸地生青蓮兩朶民間聞之官司掘得一瓦棺開見一僧形貌儼然其花從舌根頂顱生出詢及父老父老曰昔有一僧不說姓名平生誦法華經萬餘部臨終遺言曰以瓦棺葬之此地所司具奏朝廷乃賜建蓮華寺五代兵火焚之

鳳凰臺上瓦官寺記　明南祠部郎錢塘葛寅亮

上瓦官寺者即晉施陶官地爲瓦官寺故址在鳳凰臺右

據山臨城李白登瓦官閣詩樓識鳳凰名方輿勝覽謂瓦官前瞰江面後據崇岡其徵也南朝四百八十寺藹爲灌莽者不可勝計然其間地著名存或地亡名在皆得標識瓦官有百尺之閣有三絶之珍名僧之所竪義賢儁之所參游其勝事相傳未泯乃一更于昇元再廢于崇勝戒壇而國朝遂蕩然無存其地半爲驍騎倉半入徐魏公族嘉靖間魏國園匇之積善庵改建揭張其名王元美汪伯玉諸公記之一時遂多稱瓦官考古者知其非瓦官故址也余纂寺志偶一稽覈嘗與同署鄭君玄嶽游其地登鳳凰臺故墟見其右殿閣嵬然金碧燁然四環以垣而臺籓

其内俯萬竹之名園連驍騎之公廩徘徊顧眺爲誦李白之詩及方輿勝覽中語此非即瓦官故址與雖江波遠徙二水三山杳不知何處然荒臺游鳳可憑而弔也召僧問所自謂此地故有菴一區名叢桂萬曆之十有九年魏族以園地售閭左菴僧圓梓明澄有志復古圖請贖地白魏公魏公慨然布金其門下陳源陳淳各贊成之僧亦撫衣鉢資約三百金共償其直茲地悉爲菴有廣可四十畝於是最高度下爲殿者四爲藏經閣者一閣之右爲禪堂而僧寮錯處焉其鳳凰臺峙左林木蒼蔚宜亭臺之下有放生池約十畝許爲葑翳宜闢皆欲有事而未逮僧一一指

紺宇與鄭君得縱觀之視其殿閣雲構雕棟綺疏丹飾金
耀前見連雉飛鳥城南一片煙光翠色繚繞雨花淮水間
獨未識瓦官昇元之舊覓上今閣幾百尺至仰攀日月也
其地入驍騎者即不可復問而名藍舊址已復其半規模
亦宏敞矣計是菴之未闢也僅蕭然半錫地絓之藤蔓磽
确間過者不問而積善適當交途又魏公析地施繖香華
甫振都人懷古之殷思一寄佳名於垂絕得此遂不復搜
討以今相提並論其不可同年而語明矣況積善賴於平
陸茲菴據山之上積善去臺尚遠茲菴即臺爲基伯玉元
美所記皆云有廢井爲瓦官務今井在倉內茲菴去井一

壁耳三者不朽之故蹟可據之遺基試立馬風煙停車蒼莽想像于江山雲樹之際印證于品題游覽之篇地與景合孰有如叢桂者廼古額未復菴名尚沿不將使金地埋光琳宮闕色哉予因正其名曰瓦官鄭君曰然則將奪彼予此乎曰否然則將此亦一瓦官彼亦一瓦官乎曰否吾將取諸上下之間志有之古者上定林下定林上雲居下雲居今猶有存者非臆也乃遂名彼爲下瓦官此爲上瓦官寺因爲之記

瓦官寺碑 下寺　　明兵部侍郎新都汪道昆　周天球書

古都金陵則秦淮水南故有瓦官地興寧中詔徙瓦官水

北湖故地建寺爲慧力居寺集千僧襃然江左首刹寺故有三法寶皆奇絶其一師子國所貢玉像高四尺二寸玉質瑩白形製微至經十載始至金陵其一戴安道繪佛像蓋居寺者餘十歲一云畫壁在焉其一顧長康維摩圖杜拾遺嘗乞之江寧詩稱虎頭金粟是也其以開講至者則竺法汰支道林遁講般若經天台智者大師說止觀其以遊觀至者則王長史王苟子劉丹陽桓護軍何次道阮思曠具世說中唐仍舊名就中築瓦官閣李供奉登而有賦至今誦之後唐昇元中改瓦官閣爲昇元閣無何毁矣宋乃更始元更名崇勝戒壇　高皇帝定鼎金陵并包無外

寺方就圯有待而興其後魏國爲園鳳凰臺西地入魏國
西園畢事隙地猶存正德中有神僧杖錫至指故地而稱
佛土投五體而禮十方且語居人異日者此地大興佛事
頂之居人見火光隱隱出地上始異其言山西比丘覺恒
善持戒律修頭陀行就彼邑中淨土寺投成亮爲師亮日持
一齋夜誦法華經達旦年九十色若嬰兒將大歸命恒往
伏牛山叅印空法師而受記恒如命隨衆二十年得印空
衣法輙由少林歷南海次金陵時島夷薄留都魏國居守
聞恒自少林至則以牛車逆恒爲技擊師恒徐徐曰明公
必欲弭倭患報　國恩非佛力不可其倚佛以貸十力技

設天網該之一何數也金陵鉅麗六代之所更都其時總總林林居然佛國卒之泰社遞屋一切與之俱頹比及千年無往不復　高皇帝南面而立當王氣而建名都文武聖神非輓近世諸儒所及乃若遹西極以化中國未嘗以爲不經也者而黜之于是苾芻相摩蘭若相望概諸六代有加幾何之視要荒爰及瓦官巋然再造猶夜始旦猶魄始明國隆則從而隆其斯爲日之卯月之庚與治同道罔不興矣要而言之有興寧則有慧力有慧力則有瓦官由是而竺法汰道林智者從之彼一時也有　太祖則有中山有中山則有魏國有魏國則有留後有留後則有恒有

迎由是而燕代荆楚梁豫諸賢從之此一時也借曰消息虛盈時乃天道準諸古語天不人不因人不天不成如將詰其所由來卽世儒無容口世主無容心世尊無容力矣尚安事碑二弟子奉足而三請曰固然吾師望此久矣此在世法願徼惠仁者一言余嘗從文殊方丈室中聞不二法是故無世法無出世法無法法亦法謂不二何不二之云默然而已長者子盍歸乎諸賢聖之聲跡具在有之其問諸杜拾遺李供奉無則問諸維摩

重修瓦官寺祝釐記

明南刑部侍郎瑯琊王世貞

瓦官寺者剏自晋興寧中地在金陵秦淮之陽古所稱銅

官鹽官之類是也寺故有三寶一爲師子國所貢玉如來像一爲顧長康所繪維摩詰天女一爲戴顒所損臂胛塑像至宋孝武時復以三十二金像益之遂裒然爲四百八十之冠而是時有傑閣踞其後壯麗無偶以久故欹其西南角至唐開元九年七月大風起龍江蕩秦淮而上欹者復正寺僧神之龕其事於壁南唐昇元中以紀年爲閣名至宋開寶八年十一月金陵下兵燹凌之閣遂爲燼而神之者猶曰海船東來夕見空中有光擁一閣而去隱隱聞梵唄鐘磬音若所稱同泰浮圖者距其剏爲歲五百八十餘蓋自是一燬而不復紹興中一論師于閣址旁百武復

建閣曰盧舍那高可七尺逾於瓦官之舊久之復中兵燹蕩併其所謂寺者始而稱崇勝戒壇繼而蕩爲兎葵燕麥之塲而漸不可識徒令人增慨於法汰道林智顗之書劉丹陽王長史何次道阮思曠之緒論與李供奉之詩歌想像暮煙秋色於冶城大桁之間而已至　明而入魏國上公之園爲鳳凰臺西隙地正德中有神僧過而膜拜焉謂爲佛土授記居民以去自是時時夜見光怪久之山西比丘覺恒者得法於淨土寺法師成亮已受記伏牛印空師由少林轉歷南海至金陵魏之先公禮之爲築精藍以舍直其地父老稍稍爲言光怪狀且云故瓦官寺址也廢井

在焉跡而掘之有居刻天王像精甚識其陰曰昇元於是魏公益慨然自稱檀越傾發其藏鏹以成殿堂門廡庖湢客寮筦庫之屬華艷窈窕深中宏外經像整麗咸得其所而他所未備者恒公盡以三衣中食之羨足之其後得金陵悟迎爲弟子授之衣鉢而脫身走伏牛立而化迎公代之以精勤爲法事以慈閔攝衆心大德具壽紛綸而萃羯磨講誦各安其職今魏公復用三天竺故事割其餘祿以供常住迎公旣謀所以永茲剎者祈之宰官汪先生伯玉俾爲文紀之詳且覈矣居復念魏公世世爲　天子肺腑其履端履長　萬壽之祝歲不過三且與百辟共事亡以

專所曰而諸苾蒭記　國主之護持亡兵革灾沴他厲以礙薰修蓋未嘗食息而忘祝釐忝其徒二人謁世貞申爲之記世貞故嘗讀遠法師前後論辯沙門不敬王者又百丈剏立道場不立佛像以爲卓識及見宋元之季宗師上講堂必先拈香而頌佛祝聖心竊以爲疑其後復攷我世尊所行化之國非一王其王嚴事之不啻大梵帝釋而世尊之所以犇趨而庇祐之者亦不一二已也當此之時重在法王則人王賴法王以有其國世尊滅大迦葉阿難陀繼之人王與法王交重則兩相事追其既也大法流而震旦重在人王則法王賴人王以行其教是故遠法師之論

有所詘而百丈之見不能以偏用若是乎頌佛祝聖之不可已也諸比丘可謂能得其意者已若魏公世臣與　宗社共休其所旦加額願　天子萬壽無疆又何庴贅哉故不辭與伯玉齒而爲之記　萬曆丙戌夏日

瓦官寺重創青蓮閣記　明南刑部侍郎瑯琊王世貞

青蓮閣者故瓦官寺閣也六朝事跡以爲晋時有二青蓮得之瓦棺中以兹因緣而建兹寺慶元誌亦云金陵新志曰非也晋哀帝時詔移陶官於淮水北遂以南岸陶地施僧慧力成之其宏麗甲諸刹青蓮居士李白嘗登瓦官寺閣極眺有詩紀之其句云杳出霄漢上仰攀日月行高可

知已至江南李主時寺俱付兵燹獨閣存蓋已改而爲吴興復改而爲昇元昇元者李主僭元也或云自址至頂可二百四十尺延袤稱之蓋至明嘉隆之季而蕩然無復遺矣開士覺恒應眞闡化後比丘悟迎乗緣詢址遂搆蘭若目以故名而於轉輪藏後得小隙地盍借檀募别爲層宇雖高廣不能什一而塗澤莊嚴於像敎毋替余所謂不見如來滅刦時丈六金身亦不惡匪用解嘲蓋寔際也僧雛駢來謁余請閣名曰其瓦官乎曰寺額故命之矣將無吴興乎曰無取義也抑取諸昇元乎曰偏國之僭元也余乃更之以青蓮曰青蓮者居士白所署也非白而何以知瓦

官之有閣也抑寺之昉起乎雖不必徵寓教可也蓮以表潔青以表祥薄伽梵之所趺而安者乎拈而微笑者乎書以付僧使龕之壁　萬曆戊子六月望日

古佛記　　明翰林修撰秣陵焦竑

金陵僧藍基置其最初而獨勝者無如瓦官晉興寧中詔移陶官淮水北以南岸地予僧慧力造寺居之寺因名在城西南隅鳳凰臺畔李白詩門餘閶闔字樓識鳳凰名是也自林公講小品天台論止觀咸在茲所寺像設備極精美南史稱玉像爲義熙初師子國所獻經十載乃至高四尺二寸玉色潔潤形製殊特殆與戴安道手製佛像有　丈度

維摩圖爲寺三絶自東晉毀玉像爲釵釧戴顒手蹟亦不復存而寺至勝國時易名崇勝戒壇猶不廢也　國初寺圮地爲徐魏公園嘉靖間釋覺恒見地上光怪心知其異發之得片石佛菩薩天王相好刻畫精巧細若絲髮一時宣傳瓦官舊物復出人間時魏公篤軒以宫保縉留鑰聞而異之命卽其地造屋種樹爲往來瞻仰之所六朝名蹟幾還舊觀誠禪誦之名區素緇之幸事矣役旣竣公喜其得之奇也屬恒請余文爲記余詰曰若謂此非佛事耶則牆壁瓦礫悉談玅義若謂此卽佛事耶則色見聲求是行邪道若得之又請之而余又記之皆妄也雖然有相之身

即實相身而離文字見是名斷見則是言說之而余記之亦
無不可佛以嘉靖庚子二月八日現假以甲寅九月七日
請余以丁卯正月十日記

遊瓦官寺記　宋陸游

九日至保寧戒壇二寺保寧有鳳凰臺攬輝亭臺有李太
白詩云三山半落青天外二水中分白鷺洲今已廢惟亭
因舊址重築亦頗宏壯寺僧言亭榜本朱希真隸書法堂
後有片石瑩潤如黑玉乃宋子嵩詩題云鳳臺山亭子隙
獻司空鄉貢進士宋齊丘司空者徐知誥也後改姓名曰
李昪是爲南唐烈祖而齊丘爲大臣後又有題字云昪元

三年奉勅刻石蓋烈祖既有國追念君臣相遇之始而表顯之昇齊丘雖皆不足道然當攘奪分裂橫潰之時其君臣相遇不如是亦不能粗成其功業也戒壇額曰崇勝戒壇寺古謂之瓦官寺有閣因岡阜其高十丈李太白所謂鍾山對北戶淮水入南榮者又橫岡詞一風三日吹倒山白浪高於瓦官閣是也

〔傳〕釋智顗傳略　傳詳棲霞寺內　高僧傳

釋智顗學成詣金陵與法喜等三十餘人在瓦官寺創弘禪法僕射徐陵尚書毛喜等並稟禪慧俱傳香法會陳始興王出鎮洞庭公卿餞送迴車瓦官與顗談論幽極既唱

貴位傾心捨散山積虔拜殷重因嘆曰吾昨夢逢強盜今乃表諸軟賊毛繩截骨則憶曳尾泥中仍遣謝門人曰吾聞闇射則應于絃何以知之無明是暗也脣舌是弓也心慮如絃音聲如箭長夜虛發無所覺知又法門如鏡方圓任像初瓦官寺四千人坐半入法門今者二百坐禪十人得法尒後歸宗轉倍而據法無幾斯何故耶吾自化行道可各隨所安吾欲從吾志也即往天台

勑智顗禪師　陳宣帝

京師三藏雖弘皆一途偏顯兼之者寡朕聞瓦官濟濟深用慰懷宜停訓物豈遑獨善一二曹義達口具得朕意也

勑迎智顗　陳少主

春寒猶厲道體何如宴坐經行無乃為弊都下法事恒興希相助弘闡今遣宣傳左右趙君卿迎接遲能即出也一二君卿口具便望相見在促

又勑　陳少主

得使人趙君卿啓并省來答表志存林野兼有疾病願停山寺不欲出都不具一二巖壑高深乃幽人之節佛法示現未必如此且京師甚有醫藥在疾彌是所宜故遣前主書朱宙迎接想便相隨出都惟遲法流不滯會言在近朱宙口述一二

請智顗講法華疏　陳沈君理

儀同公菩薩戒弟子吳興沈君理和南稽顙大乘者大士之所乘也高廣普運直至道場復作四依周旋六道仰惟德厚深會經文於五誓之初請開法華題一夏內仍就剖釋道俗咸瞻延佇嘉唱慈悲利益不違本誓耳謹和南國清百錄

與智顗書　陳毛喜

累年仰系不易可言承今夏在石像行道欣羨無極又聞欲於天台營道場當在夏竟耳學徒遠近歸依者理應轉多安心林野法喜自娛禪講不輟耳四十二字門令附雖

蜀冬時讀竟不解無因諮訪爲恨轉積南嶽亦時有信照禪師在嶽嶺徒衆不異大師在時善公於山講釋論彼亦邑遲望還綱維大法不者歸鍾嶺攝山亦是棲心之處須必適遠方詣道塲希勿忘京師邊地之人豈知迴向傾心無時不積未因接顏色東望欷歔敬德信人今返白書不具弟子毛喜和南

竺道壹傳略　高僧傳

竺道壹吳人少出家貞正有學業而晦迹隱智人莫能知與之久處方悟其神出瑯琊王珣兄弟深加敬事晉太和中出都止瓦官寺從汰公受學數年之中思徹淵深晉簡

文帝深所知重及帝崩汰死壹乃還東止虎丘山學徒苦留不止乃令丹陽尹移壹還都壹荅尹曰蓋聞大道之行嘉遁得肆其志唐虞之盛逸民不奪其性弘方由於有外致遠待而不踐大晉光熙德被無外崇禮佛法弘長彌大是以殊域之人不遠萬里被褐振錫洋溢天邑皆割愛棄欲洗心清玄遐期曠世故道深常隱志存慈救故遊不滯方自東徂西惟道是務雖萬物惑其日計而識者悟其歲功今若責其屬籍同役編戶恐遊方之士望崖於聖世輕舉之徒卓長往而不反虧盛明之風有謬主相之旨且荒服之賓無關天臺幽藪之人不書王府幸以時審讞詳而

後集也壹於是閑居幽阜晦影窮谷時若耶山有帛道猷者少以篇牘著稱性率素好丘壑一吟一詠有濠上之風與道壹經有講筵之遇後與壹書云始得優游山林之下縱心孔釋之書觸興爲詩陵峯採藥服餌蠲痾樂有餘也但不與足下同日以此爲恨耳因有詩曰連峯數千里修林帶平津雲過遠山翳風至梗荒榛茅茨隱不見雞鳴知有人閑步踐其逕處處見遺薪始知百代下故有上皇民壹得書既有契心抱乃東適耶溪與道猷會定於林下於是縱情塵外以經書自娛頃之郡守瑯琊王薈於邑西起嘉祥寺以壹之風德高遠請居僧首壹乃抽六物遺於

寺造金牒千像壹既博通内外又律行清嚴故四遠僧尼咸依附諮禀時人號曰九州都維那後暫往吳之虎丘山以晋隆安中遇疾而卒即葬於山南孫綽爲之讃曰馳辭説言因緣不虛惟兹壹公綽然有餘譬若春圃載芬載譽條被猗蔚枝幹森踈

竺法汰傳略　高僧傳

竺法汰東莞人少與道安同學與道安避難行至新野安分張徒衆命汰下京臨別謂安曰法師儀軌西北下座弘教東南江湖道術此焉相忘矣至於高會淨國當期之歲寒耳於是分手泣涕而别乃與弟子曇一曇二等四十餘

人泝江東下遇疾停陽口時桓温鎮荆州遣使要過供事湯藥汰疾小愈詣温温欲共汰久語先對諸賓未及前汰汰乃乘輿歴厢廻出相聞與温曰風瘀忽發不堪久語比當更造温忽忽起出接輿循焉汰含吐藴藉辭若蘭芳時沙門道恒頗有才力常執心無義大行荆土汰曰此是邪說應須破之乃大集名僧令弟子曇一難之據經引理恒援其口辯不肯受屈日色既暮明日更集慧遠就席攻難數番闗責鋒起恒自覺義途差異神色微動麈尾扣案未即有答遠曰不疾而速杼軸何爲坐者皆笑心無之義於此而息汰下都止瓦官寺晉太宗簡文皇帝請講放光經

開題大會帝親臨幸王侯公卿莫不畢集三吳負袂至者千數瓦官寺本是河内山玩墓王公爲陶處晉興寧中沙門慧力啓乞爲寺止有堂塔而已及汰居之更拓房宇修立衆業又起重門汝南世子司馬綜第去寺近遂侵掘寺側重門淪陷汰不介懷綜乃感悟躬往悔謝領軍王洽東亭王珣太傅謝安並欽敬無極晉太元十二年卒孫綽爲之讃曰凄風拂林鳴絃映壑爽爽法汰校德無怍

竺僧敷傳略

高僧傳

竺僧敷因西晉末亂移居江左止瓦官寺盛開講席道嵩曰敷公研微秀發非吾等所及也嘗著神無形論以有形

便有數有數則有盡神旣無盡故知無形矣理有所歸愜然信服後終於寺竺法汰與道書云每憶數上人周旋如昨逝沒奄復多年與其清談之日未嘗不想憶思得與君共覆疏其美豈圖一旦永爲異世痛恨之深何能忘情其義理所得披尋之功信難可圖矣

支道林　世說

有北來道人好才理與林公相遇于瓦官寺講小品于時竺法深孫興公悉共聽此道人語屢設疑難林公辯答清析辭氣俱爽此道人每輒摧屈孫問深公上人當是逆風家向來何以都不言深公笑而不答林公曰旃檀非不馥

焉能逆風深公得此義夷然不屑

釋支道林傳略　　高僧傳

支遁字道林陳留人或云河東林慮人幼有神理聰明秀徹初至京師太原王濛甚重之曰造微之功不減輔嗣陳郡殷融嘗與衛玠交謂其神情儁徹後進莫有繼之者及見遁歎息以爲重見若人年二十五出家每至講肆善標宗會而章句或有所遺時爲守文者所陋謝安聞而善之曰此乃九方歅之相馬也略其玄黄而取其駿逸王洽劉惔殷浩許詢郗超孫綽桓彦表王敬仁何次道王文度謝長遐袁彦伯等並一代名流皆著塵外之狎遁嘗在白馬

寺與劉系之等談莊子逍遙篇云各適性以爲逍遙遁曰不然夫桀跖以殘害爲性若適性爲得者彼亦逍遙矣於是退而注逍遙篇後還吳立支山寺晚欲入剡謝安爲吳興守與遁書曰思君日積計辰傾遲知欲還剡自治甚以悵然人生如寄耳頃風流得意之事殆爲都盡終日慼慼觸事惆悵唯遲君來以晤言消之一日當千載耳此多山縣閑靜差可養疾事不異剡而醫藥不同必思此緣副其積想也王羲之時在會稽素聞遁名未之信謂人曰一往之氣何足可言後遁既還剡經由于郡王故往詣遁觀其風力既至王謂遁曰逍遙篇可得聞乎遁乃作數千言標

拔新理才藻驚絶王遂披襟解帶留連不能已仍請住靈嘉寺意存相近俄又投迹剡山於沃州小嶺立寺行道僧衆百餘常隨禀學時或有惰者遁乃著座右銘以朂之曰懃之懃之至道非彌奚爲淹滯弱喪神奇茫茫三界眇眇長羈煩勞外湊冥心內馳徇赴欽渴緬邈忘疲人生一世涓若露晞我身非我云云誰施達人懷德知安必危寂寥清舉濯累禪池謹守明禁雅玩玄規綏心神道抗志無爲寥朗三蔽融冶六疵空同五陰虛豁四肢非指喻指絶而莫離妙覺既陳又玄其知宛轉平任與物推移過此以往勿思勿議敦之覺父志在嬰兒時論以遁才堪經濟而潔

已拔俗有違兼濟之道遁乃作釋矇論晚移石城山又立棲光寺宴坐山門遊心禪苑木食澗飲浪志無生乃注安般四禪諸經及即色遊玄論聖不辨知論道行旨歸學道誡等追蹤馬鳴躡影龍樹義應法本不違實相晚出山陰至晉哀帝即位頻遣兩使徵請出都止東安寺講道行波若朝野悅服郄超與親友書云林法師神理所通玄拔獨悟數百年來紹明大法令真理不絕一人而已遁淹留京師涉將三載乃還東山上書告辭曰遁頓首言敢以不才希風世表未能鞭後用愆靈化蓋沙門之義法出佛之聖彫淳反朴絕欲歸宗遊虛玄之肆守內聖之則佩五戒之

貞眺外王之化諧無聲之樂以自得爲和篤慈愛之孝蠕動無傷銜撫恤之哀永悼不仁秉未兆之順遠防宿命挹無位之節履亢不悔是以哲王御世南面之重莫不欽其風尚安其逸軌探其順心略其形敬故令歷代彌新矣陛下天鍾聖德雅尚不倦道遊靈模日昃忘御可謂鐘鼓晨極聲滿天下清風既劭莫不幸甚上願陛下齊齡二儀弘敷至法去陳信之妖誣尋丘禱之弘議絶小塗之致泥奮宏轡於夷路若然者玄德交被民荷宴祐恢恢六合成吉祥之宅洋洋大晉爲元亨之宇常無爲而萬物歸宗執大象而天下自往國典刑殺則有司存焉若生而非惠則賞

者自得戮而非怒則罰者自刑弘公器以厭神意提詮衡以極宜量所謂天何言哉四時行焉貧道野逸東山與世異榮菜蔬長阜漱流清壑繿縷畢世絕窺皇階不悟乾光曲曜猥被蓬蓽頻奉明詔使詣上京進退惟咎不知所厝自到天庭屢蒙引見優游賓禮策以微言每慚才不拔滯理無拘新不足對揚玄模允塞視聽踧踖侍人流汗位席曩四翁赴漢干木蕃魏皆出處有由默語適會今德非昔人動靜乖理遊魂禁省鼓言帝側將困非據何能有爲且歲月僶俛感若斯之嘆況復同志索居綜習遼落迴首東顧孰能無懷上願陛下特蒙放遺歸之林薄以鳥養鳥所

苟爲優謹露板以聞俾其愚管裹糧望路伏待慈詔詔曰許焉一時名流並餞離於征虜蔡子叔前至近遁而坐謝安石後至値蔡暫起謝便移就其處蔡還合褥舉謝擲地謝不以介意其爲時賢所慕如此既而收迹剡山畢命林澤人嘗有遺遁馬者遁受而養之時或有譏之者遁曰爱其神駿聊復畜耳後有餉鶴者遁謂鶴曰尒沖天之物寧爲耳目之玩乎遂放之遁幼時嘗與師共論物類謂鷄卵生用未足爲殺師不能屈師尋亡忽現形投卵於地殼破鶵行頃之俱滅遁乃感悟由是蔬食終身以晋太和元年閏四月四日終于所住卽窆之於塢中厥塚存焉或云終剡

未詳遁善草隸郄超爲之序傳袁宏爲之銘讚周曇寶爲之作誄孫綽道賢論以遁方向子期論云支遁向秀雅尚莊老二子異時風好玄同矣又喻道論云支道林者識清體順而不對於物玄道沖濟與神情同任此遠流之所以歸宗悠悠者所以未悟也後高士戴逵行經遁墓乃歎曰德音未遠而拱木已繁冀神理綿綿不與氣運俱盡耳遁有同學法虔精理入神先遁亡遁歎曰昔匠石廢斤於郢人牙生輟絃於鍾子推己求人良不虛矣寶契既潛發言莫賞中心蘊結余其亡矣乃著切悟章臨亡成之落筆而卒凡遁所著文翰集有十卷盛行於世

與高驪道人論竺法深書　晉釋支遁

字道林姓關氏陳留人或云河東林慮人終于餘姚塢山中或云終剡

上坐竺法深中州劉公之弟子體德貞峙道俗綸綜往在京邑維持法綱內外俱瞻弘道之匠也頃以道業精濟不耐塵俗考室山澤修德就閑今在剡縣之岬山率合同遊論道說義高棲皓然遐邇有詠

釋僧導傳略　高僧傳

釋僧導京兆人十歲出家師以觀世音經授之讀竟諮師此經有幾卷師欲試之乃言止有此耳導曰初云尒時無盡意故知尒前已應有事師大悅之授以法華一部於是

晝夜看尋粗解文義貧無油燭常採薪自照迄受具戒識洽愈深禪律經論達自心抱姚興欽其德業友而愛焉入寺相造迺同輦還宮及什公譯出經論並參議詳定導既素有風神又值關中盛集於是謀猷衆典博採眞俗迺著成實三論義疏及空有二諦論等後宋高祖西伐長安擒獲僞主蕩清關內旣素藉導名迺要與相見謂導曰相望久矣何其流滯姝俗荅曰明公盪一九有鳴鑾河洛此時相見不亦善乎高祖於旆東歸留子桂陽公義眞鎭關中臨別謂導曰兒年小留鎭願法師時能顧懷義眞後爲西虜勃人赫連所逼出自關南中塗擾敗醜虜乘凶追騎將

及導率弟子數百人遏於中路謂追騎曰劉公以此子見託貧道今當以死送之會不可得不煩相追羣寇駭其神氣遂廻鋒而反義眞走竄于草會其中　段宏卒以獲免高祖感之因令子姪內外師焉後立寺於壽春即東山寺也常講說經論受業千有餘人會虜滅佛法沙門避難投之者數百悉給衣食其有死於虜者皆設會行香爲之流涕哀慟至孝武昇位遣使徵請導翻然應詔止于京師中興寺鑾輿降蹕躬出候迎導以孝建之初三綱更始感事懷昔悲不自勝帝亦哽咽良久即勅于瓦官寺開講維摩而帝親臨幸公卿畢集導登高座曰昔王宮託生雙樹現

滅自尒巳來歲逾千載淳源汞謝澆風不追給苑丘墟鹿園蕪穢九十五種以趣下爲升高三界群生以火宅爲淨國豈知上聖流涕大士棲惶者哉因潛然泫淚四衆爲之改容又謂帝曰護法弘道莫先帝王陛下若能運四等心矜危勸善則此沙土瓦礫便爲自在天宫帝稱善久之坐者咸悅後辭還壽春卒於石磵

求那摩跋傳畧　高僧傳

求那摩跋解四阿含經精貫三藏入定每有白獅子仰躡柱而嬉青蓮華遍虚空界伺卒無有至瓦官恒坐禪樹下時宋文帝持齋問道跋對道在心不在事法由巳不由

帝王家四海子萬民出一言嘉布一政善則持齋已右人殺已衆安在缺一餐全一命爲經濟耶帝稱善命居祇洹寺講法華拜十地品帝率公卿日集座下後元兕變遁跡去

釋寶意傳略　　高僧傳

寶意梵言阿那摩低本姓康康居人世居天竺以宋孝武建中來止京師瓦官禪房恒於寺中樹下坐禪又曉經律時人亦號三藏常轉側數百貝子立知凶吉善能神咒以香塗掌亦見人往事宋世祖施其一銅唾壺高二尺許常在牀前忽有人竊之意取坐席一領空卷之咒上數遍經

于三夕唾壺還在席中莫測其然於是四遠道俗咸敬而異焉

詩

遊瓦官寺　唐李白

晨登瓦官閣，極眺金陵城。鍾山對北户，淮水入南榮。漫漫雨花落，嘈嘈天樂鳴。兩廊振法鼓，四角吹風箏。杳出霄漢上，仰攀日月行。山空霸氣滅，地古寒陰生。寥廓雲海晚，蒼茫宫觀平。門餘閶闔字，樓識鳳凰名。雷作百山動，神扶萬栱傾。靈光何足貴，長此鎮吴京。

横江詞　唐李白

人言横江好，我道横江惡。一風三日吹倒山，白浪高于瓦

官閣

鳳凰臺　唐李白

置酒延落景金陵鳳凰臺長波寫萬古心與雲俱開昔時有鳳鳥鳳鳥爲誰來鳳凰已去久正當今日回明君越羲軒天老坐三台豪士無所用彈琴醉金壘東風吹山花安可不盡杯六帝沒幽草深宮冥綠苔置酒勿復道歌鐘但相催

又　唐李白

鳳凰臺上鳳凰遊鳳去臺空江自流吳宮花草埋幽逕晉代衣冠成古丘三山半落青天外二水中分白鷺洲總爲

浮雲能蔽日長安不見使人愁

送許八拾遺歸江寧覲省甫昔時嘗客遊此縣於許生處乞瓦官寺維摩圖様志諸篇末　唐杜甫

詔許辭中禁慈顔赴北堂聖朝新孝理祖席倍輝光内帛擎偏重宫衣着更香淮陰新夜驛京口渡江航春隔雞人晝秋期鷰子凉賜書誇父老壽酒樂城隍看畫曾飢渴追蹤恨淼茫虎頭金粟影神妙獨難忘

登瓦棺寺閣　唐羅隱

下盤雲跡上雲浮偶逐僧行步步愁暫憩已知須用意漸來爭忍不廻頭煙中樹老重江晩林鐸風輕四境秋懶指

臺城更東望鵲飛龍闕盡荒丘

登昇元閣　　南唐李建勳

登高始覺太虚寬白雪須知唱和難雲度鎖牕金榜濕月移珠箔水精寒九天星象簾前見六代城池直下觀唯有上層人未到金烏飛過拂闌干

鳳凰臺　　南唐宋齊丘

嵯峨壓洪泉岝峉撐碧落宜哉秦始皇不驅亦不鑿上有布政臺八顧皆城郭山蹙龍虎徤水黑螭蜃作白虹欲吞人亦驥相煇爍畫棟泥金碧石路盤墝埆倒挂哭月猿危立思天鶴鑿池養蛟龍栽桐棲鸑鷟梁間燕教雛石罅蛇

縣殽飧花如飧賢去草如去惡日晚嚴城鼓風來蕭寺鐸掃地驅塵埃剪蒿除鳥雀金桃帶葉摘綠李和衣嚼貞竹無盛衰媚栁先搖落塵飛景陽井草合臨春閣芙蓉如佳人回言似調謔當軒有直道無人肯駐脚夜半鼠勃窣天陰鬼獻椽松孤不易立石醜難安着自憐啄木鳥去蠹終不錯晚風吹梧桐樹頭鳴嚗嚗峨峨江令石青苔何淡泊不語興亡事舉首思渺邈吁嗟未到此褊劣同尺蠖簷間鵲羨梟毛猛虎愛蝸角一日賢太守與我觀槖籥徘徊將自語天帝相然諾風雷偶不來寰宇銷一略我欲烹長鯨四海為鼎鑊我欲取大鵬天地為矰繳安得生羽翼從君飛上

寥廓

詠昇元閣鐸　宋曾極

摩娑石柱蘚痕斑亡國如鳩去不還無復切雲三百尺空傳風鐸在人間

鳳凰臺　宋周邦彦

危臺飄盡碧梧花勝地淒涼屬楚家鳳入紫雲招不得木燕堂殿下饑鴉

鳳凰臺晚眺　宋劉克莊

纖月疏行臺上路秣陵城郭忽秋風馬嘶衛霍空營裏螢起齊梁廢苑中野寺舊曾開玉帳翠華今不幸離宮小儒

記得興隆事閑對山僧說魏公

鳳凰臺　　宋郭功父

高臺不見鳳凰遊浩淼長江入海流舞罷青娥同去國戰殘白骨尚盈丘風摇落日催行棹潮擁新沙换故洲結綺臨春無處覔年年芳草向人愁

遊瓦官寺　　明余孟麟

經臺香梵幾登臨江左名山歲月深三界磬流花塢合六朝松偃石牕陰金函新賜袈裟地寶筏重開薝蔔林但得頭陀分廨席青門堪了白雲心

重創瓦官寺閣　　明王世貞

昔時瓦官閣高與天峥嶸業火一燒盡不能燒邪蒿古名蓮花比丘若緣薄傾鉢誅茆覆簷角不見如來滅劫時丈六金身亦不惡

華光庵 小刹

在都城内陡門橋南中城地去所領上瓦官寺二里成化間剏建年久頹廢萬曆三十三年余大司成重剏有亭閣臨秦淮可以眺覽

殿堂　山門壹楹　華光殿叁楹　玄帝殿叁楹　觀音閣叁楹　左佛殿叁楹　右地藏殿叁楹　河亭叁楹　僧院壹房　基址叁畝　東至張宅房　南至秦淮河　西至馮宅房　北至官街

小刹 一葦庵

在都城內上浮橋中城地去所領上瓦官寺二里萬曆初年剏常平茶庵今余大司成重修易名一葦菴

殿堂 伽藍殿壹楹 韋馱殿叁楹 後佛殿叁楹 僧院壹房 基址貳畝

東至河岸 南至官街 西至空地 北至秦淮河

小刹 五雲庵

在都城聚寶門內中城地去所領上瓦官寺一里建自

國初萬曆三十三年余大司成重修

殿堂 伽藍殿叁楹 佛殿叁楹 僧院壹房 基址貳畝 東至張千戶空地 南至官街 西至金宅佃房 北至成府園

小剎 驍騎衛千佛菴

在都城内驍騎右衛左所地東去所領上瓦官寺二里

殿堂韋馱殿叁楹 佛殿叁楹 僧院壹區房禪堂叁楹 基址壹畝東至官街 南至黃宅房家園 西至陛 北至黃家巷

小剎 普利寺 勑賜

在三山門内中城西去所領上瓦官寺二里景泰間建

天順間 賜額萬曆戊戌災山門圍牆基址僅存

殿堂金剛殿叁楹 僧院肆房 基址拾畝東至關王廟 西至金公塘 南至本寺園 北至官街

公產租房壹拾壹間 房地壹拾伍間

小剎 封崇寺 古剎

在都城三山門内中城地西去所領上元官寺一里圖經舊報慈廨院近禪靈寺始末未詳

殿堂 山門一楹 大佛殿一楹 臥佛閣一楹 左伽藍殿樓一楹 右三教堂一楹 禪堂一楹 僧院一房 基址拾畝 東至衙塘西至祀家牆南至銀倉北至醬蓬營

小剎 留守正定菴

在都城内留守右衛中城地 去所領上元官寺 里

殿堂 伽藍殿一楹 地藏殿一楹 觀音殿一楹 僧院一房 基址伍畝 東至水塘西至江相房南至官街北至尹鑾地

卷

宛若深林峻谷者良不多得府寍倉巷之西偏委巷中尚餘前朝所創封崇寺故殿叁楹後樓叁楹當民居環聚之中忽闢奧區如眞李先生居於是里時游息其間詢諸故老究玆寺始建之年及當日全趾則碑碣既燬于兵燹遺基盖侵于鄰壤不可得而稽矣得于所可覩記者惟正德嘉靖間天界高僧果斌之師弟曰果鼎者亦一時名流來居後樓數十年得延未墜之緒四方名德時相聚合依然一叢林舊觀也繼其後者不力門廡頹毀殿樓日就傾壞其人亦旋亡矣里中父老擇京僧之勤愼者曰眞佐共舉于禮曹給札住持朝夕持頌惟謹十方檀越翕然信之喜

捨日積乃舉殿與樓重構而鼎新之歷數年功始半就遂爾化去其徒如惠克紹規繩倍加精進李先生時偕問業諸君子陳君弘世胡君時中戴君任汪君文煇數輩游居寢處于寺中覩惠勤慎助其募請得孫典客明善姚太學景春捐貲市木於蕪陰督稅分司陳公大綬嘉予善事復爲助施乃于殿西隙地建三教堂叄楹堂後建禪堂叄楹故殿後樓次第完整樓之東爲小樓叄楹亦漸就緒而寺之規制稱稍備矣汪君以寺有禪堂接衆得所饘粥無具事不可恒乃倡義募萬人緣爲置田以供久遠計猶念一僧之一德相承衆善信之倡和協力皆不可無紀乃以李先

金陵梵刹志 卷二十二

中刹 青溪鷲峰寺 古刹 勑賜

在都城内中城鈔庫街南青溪地西南去所統天界寺五里齊爲東府城梁爲江總宅唐乾元中刺史顔魯公置放生池東接清溪宋淳熙間待制史正志移於清溪之曲建閣其上歲久湮沒 國朝天順間卽其地建寺賜額鷲峰寺後有塘屬内監相傳爲放生遺址以教坊毁菴隙地易之併構一椽祀魯公而重勒其碑文以存舊蹟寺記稱舊爲梁法光寺法光卽鹿苑寺亦近清溪但按鹿苑記云聖像卽山而成今鷲峰絶無山恐非是

且迴光寺記中亦謂是鹿苑豈因其地相近而悮入耶

所領小刹曰迴光寺千佛菴大中正覺菴

殿堂 金剛殿叄楹 左鐘樓壹座 右鼓樓壹座 天王殿叄楹 左伽藍殿叄楹 右祖師殿叄楹 正佛殿叄楹 左觀音殿叄楹 右輪藏殿叄楹 毘盧閣叄楹 迴廊叄拾叄楹 僧院玖房 禪院貳拾肆楹 基址拾畝

東至官路 南至官路 西至民家房 北至高牆 附 顏魯公祠叄楹

公產 祖房壹拾陸間 地伍畝柒分伍厘

山水 青溪 輿地志云後湖水迤邐西出至今上水閘皆名青溪按溪有九曲寺地亦青溪之曲也

古蹟 放生池 顏魯公置史待制改建於此蹟已久湮沒今寺後有塘一口相傳爲放生池因復之以存其蹟 顏魯公書放生池碑 今重刻非舊蹟 附 江總宅 即寺基 淸

溪閣宋史待制王志建於放生池上

割青亭宋段約宅取荊公詩割我鍾山一半青之句

[文]奉詔立放生池碑 唐昇州刺史顏真卿

顏真卿字清臣嘗受戒於湖州慧明又問道於江西嚴峻乾元二年肅宗置天下放生池八十一所公奉詔立碑

昔殷湯克仁垂一面之網漢武垂惠致含珠之報流水救涸寶勝稱名蓋事止於當時尚介祉於終古豈我今日動者植者水居涸居舉天下以爲池罄域中而蒙福乘陀羅尼加持之力竭煩惱海生死之津擯之前古曾何髣髴

乞御書天下放生池碑額表 唐昇州刺史顏真卿

臣某言臣聞帝王之德莫大於生成臣子之心敢忘於讚

述臣去年冬任昇州刺史日屬左驍衛左郎將史元琮等奉宣恩命於天下州縣臨江帶郭處各置放生池始于洋州興道訖于昇州江寧秦淮太平橋凡八十一所恩霑動植澤及昆蟲發自皇心徧於天下歷選列辟未之前聞海隅蒼生孰不欣喜臣時不揆愚昧輙述天下放生池碑銘一章又以俸錢於當州採石兼力拙自書蓋欲使天下元元知陛下有好生之德因令微臣獲廣昔賢善頌之義遂絹寫一本附史元琮奏進兼乞御書題額以光揚不朽緣前書點畫稍細恐不堪經久臣今謹據石擘窠大書一本隨表奉進庶以竭臣下慺慺之誠特乞聖恩俯遂前請則

天下幸甚豈惟愚臣昔秦始皇暴虐之君李斯邪諂之臣猶刻金石垂於後代魏文帝外禪之主鍾繇偏方之佐亦於繁昌立表頌德况陛下以巍巍功業而無紀述則臣竊耻之謹昧死以聞伏增戰越

肅宗御荅朕以中孚及物亭育爲心凡在覆載之中畢登仁壽之域四靈是畜一氣同知江漢爲池魚鼈咸若卿愼微慮典潤色大猷能以懿文用刊樂石體含飛動韻合鏗鏘成不朽之立言紀好生之上德唱而必和自古有之情發于中子嘉乃意所請者依

青溪閣記

宋朝奉郎張椿

青溪閣在府治東北青溪上本梁江總故宅至國朝爲段約之宅有亭曰割青取荆公詩割我鍾山一半青之句乾道五年秋因移放生池於青溪之曲卽割青故基建閣焉

天下之山川勝處古今相承往往隨人廢興得其人者雖雲煙草木皆有憑恃德名高自標致亘萬古而不可泯沒之也如其不然亦復憔悴悽愴風悲雨暝過者爲之黯然而山川因人而興者亦不多有孟城北垞本宋延清之別業香山履道之坊蓋楊虛受之故宅王白二公乃發其名而傳後世使其地靈氣英而無人傑以當之亦將錄錄蒙昧不復傳矣金陵古帝都也青谿數曲近在城中晉則爲郄

僧隨之所領覽陳則爲江總持之所據依二人者聲名震耀胄次丘壑一時游從見於歌詠異時段氏結廬其上王半山詩之而劃青之名遂振兵火後走鼪鼯埋荆棘獨取給於漁師老圃之用鍾山之秀無復照映此谿之上今大帥史公縣甘泉法從宅牧留京政修户庭而人自得於一路十州之外凡地之勝與景之殊者悉表出之六朝以來人物事迹搜訪具備覽山川益奇登覽益多而聞見益廣至是青谿數曲之地足歷而心營之因柳堤之舊築層閣之新忽若飄浮上臨雲氣環城之山畢出斬露朝漪夕嵐煙顔雨態盡得於指顧之内公聽訟之餘風清月白蘭橈

畫舫時往來其間無紅旗穿市之勞有延綠混碧之觀龜魚禽鳥欣榮飛躍鳴聲下上而自喜得所遇焉是可爲青谿賀也一日公顧謂客曰夫豈以游樂故而爲此哉予之意殆非也嘗迹建康志顔平原爲昇州日據石壁字窠大書奇字以紀乾元放生池者蓋自江寧秦淮連太平橋並江帶郭皆禁網捕所以宣皇明而廣慈愛也今青谿之地延袤數里蒲蓮葭葦聯蔓葱蒨潛深伏奥依戲藻荇不知其幾千萬億皆欲使之遂性咸若圉圉洋洋游泳恩波以祈兩宫萬年之壽此予之理是谿創層閣而以時往來其間者迹平原之志舉乾元之實而效藩臣之精懇者也客聞

而嘆乃酌而請曰以公修名推望持豪傑藩深爲聖天子器重四方之士知公推轂後進桃李滿門願一見公者日有其人而公寓意幽討寄興滄洲覗山南樓比迹羊庾文能展廓是谿涯漏品類使鳧鷺行哺鷗狎不驚而盡所以鄉慕古人尊君愛上之意則是谿之遇寧有既乎谿之遇公固得其所公方且以宏遠之摹經畧中原勒功彝鼎公則有時而去也公去而位愈尊而谿之名愈大矣可不記歟椿於公爲門下士乃摭其實而書之公名正志字志道南徐人乾道己丑中秋日右朝奉郎權發遣和州軍州主管學事兼管内勸農營田屯田事借紫龍舒張椿記

放生池記

宋景定建康志

案舊圖經唐乾元中詔於江寧秦淮太平橋臨江帶郭上下五里置放生池八十一所有碑昇州刺史顔眞卿文舊以府治東東接青溪北通運瀆者爲之舊志今秦園之側府學之東卽古放生池也淳熙間史待制正志移放生池於青溪建閣其上遇祝聖立班閣下府學遂因舊放生池爲泮水其流亦通青溪王尚書埜以其池乃祝聖之地立板榜於舞雩亭門禁漁捕池近行路水深而堤不固時有溺死者馬公光祖聞而憫之池名放生豈容有溺死者乃命能仁寺僧築堤甃街立大木爲欄檻自是無溺者矣又

修闢青溪閣前爲飛梁繚以朱欄深迴汪洋塵壒遮莫能到也

鷲峰寺碑記畧　　明禮部尚書杭郡鄒幹

都城秦淮之南有地曰清溪舊有法光禪寺建自梁武帝天監年歷唐宋以來歲久廢毁遺址猶存　國朝天順間進公保開拓舊址重新構造佛殿三間翼然嚴正簷牙棟宇遠近相望殿之前四天王殿殿之後有毘盧閣左廡之半建觀音殿簇以畫廊二十餘間右廡之半建藏經殿亦簇以畫廊二十餘間俱彩繪其壁東廊之前爲鐘樓西廊之前爲鼓樓樹以碑銘又於正殿之東闢地數畝建佛堂

方丈以爲講經之所飯僧有堂庵湢有所棲僧有寮退居有舍池塘遶其後金城抱其左歲戊子工克告成特　賜鷲峰禪寺　成化三年十一月日

復顔魯公放生碑蹟併崇祀小記　明南祠部郎錢塘葛寅亮

唐乾元詔置放生池於昇州秦淮刺史顔魯公爲文記之又表請御書題額宋制使馬公光祖徙池於青溪之曲建青溪閣溪曲凡九湮塞僅存其一鷲峰寺寔古青溪曲中宋卞彬謁齊高帝東府曰以青溪爲鴻溝光祖之詩曰江家宅畔成花圃東府門前作菜園邑志稱鷲峰即古東府城處今寺後有陂塘數畝菜隴千畦與蓮地蘭扃分青映

縱彷彿光祖當時所見而塘亦相傳放生遺蹟即數百年來陵谷遷變未遠信然第此處青溪一帶尺寸之波惡知非舊派所流而搜討湮沒寧使遺憾因詢斯塘爲内監所轄以教坊隙地相與抵易當時臨江帶郭上下五里而今僅一區亦存千百於什一耳獨池復而魯公之碑吾波雉露曾不得其殘痕半字拂蘚讀之臨風賞快如公純忠壯節摽烈然騰景千古有生氣恐俾沒沒使人不見其風流乃重摭其文勒之石併搆一椽池上以祀公焉嗟呼鄴令之渠興思異代顯陵之策終見嵩山志復古者將毋摩娑其下

詩

過青溪王昌齡宅　唐常建

青溪深不測隱處唯孤雲松際露微月清光猶為君茅屋宿花影藥院滋苔文予亦謝時去西山鸞鶴羣

青溪草堂閒興　南唐李建勳

牕外階連水松杉欲作林自憐趨競地獨有愛閒心素壁題堪遍危冠醉不簪江僧暮相訪簾捲見秋岑

青溪　宋馬光祖

人道青溪有九曲如今一曲僅能存江家宅畔成花圃東府門前作菜園登閣自堪觀疊嶂汎舟猶可酹芳樽料應當日皆無恙若雲瀟湘不足言

青溪閣本梁江總故宅　宋徐照

葉脱林稍處處秋壯懷易感更登樓日斜鍾阜煙凝碧霜落秦淮水慢流人似仲宣思故國詩如杜老到夔州十年前作金陵夢重撫闌干説舊遊

晩步清溪上　明宋濂

溪色涵膏緑溶漾正堪餐十步九還辟清芬襲肺肝渚牙旣戢戢岸花亦戔戔潔漚近宜狎賁鲂清可捫流念梁陳際甲第繞其壖南瀊綺錢結北津銅網繁倒景浸寥曠蒸氣濕鉛丹有時作清遊鬲舲輸軒尊泛爵溢朱組箵筵到蟬冠荆傷逞姸曲秦豔發清彈唯恐懸象墮不憂芳年單

繁華隨逝水崇替起哀歎黃鳥背人飛響入華林園

清溪　明焦竑

宛轉清溪步扁舟曲曲通竹煙籠罨畫花雨澹冥濛豔雪歌蟬嚥澄金酒蟻空良遊不知倦遙夜水雲中

迴光寺

小刹　古刹

在都城南隅中城地東北去所領鷲峰寺一里梁天監間創蕭子雲飛白大書寺額名蕭帝寺唐保大中改法光寺宋太和中改鹿苑寺一云鷲峰是其址今互存之國朝永樂間有迴光大士自西域至重建改今額寺在教坊內道所必由今為另闢他塗復有孔雀道堂實塔

諸菴悉移徙之而淨穢於此始別云

殿堂 山門壹座 金剛殿壹楹 右關聖殿叁楹 右大悲殿伍楹 右天妃殿壹楹 正殿叁楹 左五顯殿叁楹 伽藍殿壹楹 右玄帝殿叁楹 祖師殿壹楹 藏經閣叁楹 左觀音殿叁楹 右地藏殿叁楹 禪堂陸楹 僧院肆房 基址伍拾丈 東至徐府園 西至官街 南至紙匠營 北至官街

文

鹿苑寺記略　宋元絳

金陵氣王三百年聲明文物與時隆替中間惟蕭梁折節以佞佛故佛之廟貌充斥江表都城巽維直淮里所有精舍焉紫峯紆餘反宇欲翔盤高孕虛含吐萬景望之輝然如修虹亘霄丹碧相發殿有聖像即山而成追琢之功極

其精紗案輿地志不知從昔之名但後人以帝氏目之黃旗運歇勢勝故在閏唐攘據因其跡而增華易栴法光標爲幽概聖朝混一書軌以三代文教蕭勺宇内四聖累洽浸厚福於生民梵刹禪林容仍舊物而茲寺番阤瘁焉不支巳卯春寺僧募大姓杜德明出褚金五十萬程工就其址起高廣殿水埶不移棼橑有嚴光煇復還風物異態又粉繪釋迦文相卽山塑十六大尊者生生之供稱是該備其秋告成乃作鍾唄蒲殮以落之道俗和會圜視作適青溪之水木鍾阜之雲物來入軒戺相爲澄曠都人詫焉有條其狀而至者會同閈趙郡李君從事海潁謂余有一日

之雅授簡不腆且曰欲以新志畀予追惟勝冠筮仕彼都與故濮陽吳嗣復昌卿並遊其地霑醉撫翰刻名楹間曠朗飇馳蓋四十八甲子老龍死矣靈光巋然齋谷舊游悦若夢覺今之辱請可沒其嫩乎月而日之庶以傳久康定二年三月八日記

重修廻光寺碑畧　明太常少卿浚儀邢一鳳

夫收神長寂内境顯昭融之像歛照無爲靈臺長智慧之芽頭頭是道重重發光故色與空並列内即外以無殊此金陵廻光寺之所由名也寺在梁天監爲蕭帝寺在宋太和爲鹿苑寺東繞秦淮之通壑西屬周處之崇臺萬雉之

城南臨雙鳳之闕北拱延袤數里勝槩一方斷碑於巔顱之形磨文照蝌蚪之蹟雖代遠而傳疑實據是而徵信唐之中葉遽厄兵燹續經補葺僅存數畝迨我　國朝永樂初有迴光禪師者生由西域來届中州推五衍以緣聽詰慧日重輪卽群有以拯墊昏慈雲大蔭杯屢渡於龍江錫爰止於鹿苑特　大報恩寺告成以羨餘修飭此寺因改稱今額焉及　武帝南巡駕幸茲藍忽有一僧從寺而出上與談道圓對不窮其偈曰可惜幽虛青蓮地不見迴光舊主人書竟俄失所在　皇帝悟曰豈所謂迴光禪師者耶　命西域僧繙印度眞文以識其事由是緇素稱復崇

信云嘉靖甲子僧雲谷講經于堂遠企清芬每深於邑緬懷高躅欲象來儀攜匠氏以開金容引緇衣而瞻睟表至誠交感寶相業成思丈室爲安居慨茲宇之日敝居無何而示寂惜有志而未遑奄忽春秋益漸傾圮仰徵兼棟俯乏完廉堊剝黝沉廊蕪壁蘚嗟乎金剛無性固假修爲而瓦礫有情能亡銷歇者哉是以奕世闕然難乎貫舊曠時胥應曷厭維新主僧方祥踵雲老之遺風揖光師之懿範刻意重修苦心創募掄材神運匃匠子來禪棲穩而無事荆班象設嚴而何煩茨庇既成堂構復事永圖於以昭引苾蒭甄陶法器尊延珪璧培養善根嗚呼舉墜典于已隳

後先交暎續眞詮于垂盡淨染皆融闍黎之軌範常存鷲嶺之煙霞如故則玆寺也燈燈相續光燭陪都鉢鉢相傳風流帝城豈如徒誇蕭寺之名未覩鹿苑之勝也哉

萬曆改元歲癸酉春記

小刹　千佛菴

在都城聚寶門内中城水軍所地東北去所領鷲峰寺二里洪武初建歲久傾圮近重修

殿堂　山門叁楹　三聖殿叁楹　大佛殿伍楹　僧院壹房　禪堂叁楹　基址叁畝

小刹　大中正覺菴

在都城内中城大中橋南去所領鷲峰寺二里

殿堂山門叁楹佛殿叁楹僧院壹房基址貳畝東至官街　南至李家房　西至官街　北至丘家房

金陵梵刹志卷二十三

中刹 承恩寺　敕賜

在都城内鍼功坊地西南去所統天界寺四里舊内旁

王御用監故宅景泰間改爲寺仍　敕賜額名近加修

葺禪院改建於大殿之後山門内沿徑新植松杉樹蒨

鬱然增麗所領小寺曰亭子巷觀音菴佑國菴傘巷觀

音菴

殿堂　大山門壹楹　金剛殿叁楹　天王殿叁楹　正佛殿伍楹　左觀音殿叁楹　伽藍殿壹楹　右輪藏殿叁楹　祖師殿壹楹　廻廊共貳拾楹　方丈壹所拾貳楹　僧院肆拾捌房　基址壹百柒拾貳丈東至舊内門

南至三山街西至官街北至舊内園牆

禪堂 大門壹楹 禪堂伍楹 十方堂叁楹 齋堂壹楹 靜室肆楹 廚庫伍楹

公產 向南廊房壹拾壹間 房地肆間半 向西廊房貳拾間 房地壹拾壹間

禪堂 向南廊房壹拾貳間 向西廊房壹拾貳間

藏經護勑 文同天界 景泰三年六月十五日

文

承恩寺記略　明南翰林學士晉陵王僎

承恩禪寺在南京舊内之旁，前御用監王公瑾之故第。公既歿，改宅爲寺，勑賜今額，而復裒其餘資加繕治焉。寺袤五百有四十尺，廣殺其袤二百尺有奇，其東北皆附禁垣，南闢山門，門側列肆餘七十楹，連欐以達於西，皆俯疏通衢歲入儌費以滋焚修而復其廛租由山門入施重門以次爲殿者六位置中殿而翼以鐘樓縧以廊廡他凡禪堂丈室僧廬以至齋庖庫庾之所又百二十有四楹大抵皆因其舊而增新之而易其榱桷加以髹堊崇彼象設邃密靚雅足觀矣　成化三年七月

小刹 亭子巷觀音菴

在都城内中城地西去所領承恩寺一里

殿堂 諸天殿叄楹 大佛樓叄楹 僧院貳房 基址壹畝 東至官巷 南至官巷 西至潘家菴 北至曹家房

小刹 佑國菴

在都城内淮清橋中城地南去所領承恩寺一里𠁊

國初逍遥樓址永樂間欽　賜永康侯後建菴雲水相聚棲泊不常今募建潮音閣漸拓舊宇

殿堂　關聖殿叁楹　正佛殿叁楹　潮音閣叁楹　僧院壹房　基址貳畆

東至井巷　南至清溪河
西至銀定橋　北至永府塘

文　建立潮音閣疏　明南國子博士臧懋循

蓋聞欲證菩提之果必種福田將弘利益之門須修淨土願大事匪資獨力而善緣共結同心謹列勝因爰求月捨有佑國菴者我　國初逍遥樓故基也虹橋東界源通淮水之清鳫塔南騫氣擁鍾陵之紫自　皇輿之攸御慨慶

域之空留二百年夜舞朝歌恍如疇昔幾千武金臺玉[illegible]盡入銷沉每經瓦礫之途何限羨牆之感永府縣華閔智啓慧輪以六代代興皆不廢雨花之地況三山山立猶堪成選佛之場了凌欲界而樹旃檀闢甍壟以開正覺前莊武安鈔相護法攸存後供世尊如來闡化斯在左營香積右結禪棲雖茲芥子之區儼若蓮花之境首僧明成戒行無闕薰修有聞念象教之陵遲愍龍宮之湫溢矢心方便殫力經營將鳩銖寸之餘重建潮音之閣俯睇則紅塵四合見三市之盈虛仰瞻則紫禁千尋連九重之峭蒨庚以祈奉佛寶普濟羣迷而檀施尚疎慈願未滿特謁居士用

伸片言於是躬損微貲手創短疏斬我大衆投此藂林悟夙生多寶之良緣舉長者布金之盛事凡國將凡宰官凡婆羅釋種並屬幻身或銀錢或米麥或纓絡紗衣元非私物施財施法共培善業之根去慳去貪勿蹈癡頑之網務使淨居巍搆梵宇崇觀振錫者悉爾皈依傳燈者于焉萃止鏑扶贔屭別題孝綽之詞鴿繞罘罳更表景明之額縱復高天鑠於熛炭大地淪於積流而祇園姓名固已等斯文之不朽靈山面目終當歷浩刧以長圓

小刹 傘巷觀音菴

在都城内錦衣衛中城地東南去所領承恩寺二里

殿堂韋馱殿叁楹佛殿叁楹右火神殿壹楹大僧院壹房基址壹畝東至醫學　南至官街西至官巷　北至于水營

金陵梵剎志 天界寺所統

金陵梵刹志卷二十四

中刹 普緣寺 古刹 勑賜

在都城西北神策門内北城地南去所統天界寺十五里晉名耆闍寺成化十九年僧能智重修奏 賜今額

所領小刹曰唱經樓普賢菴

殿堂 金剛殿叁楹 正佛殿伍楹 毗盧閣叁楹 玄帝殿叁楹 僧院柒房

基址捌畝 東至官街 南至營房 西至城牆 北至内廠田

人物 陳安稟有傳略

傳 耆闍寺安稟傳略 高僧傳

釋安稟剡思滔玄怡心屆寂製入神書一首洞曆三卷青

烏之道莫不傳芳稟幼而聰頴獨悟不羣攝以典教業遂參通而性好老莊早達經史又善太一之能并解孫吳之術是以才藝有功文武清播仍欲披榛問隱華門圭竇而虚懷機發體悟眞權年二十五啓勑出家乃遊方尋道北詣魏國於司州光融寺容公所採習經論容律訓嚴凝肅成濟器并聽嵩高少林寺光公十地一聞領解頓盡言前深味名象並畢中意講業之徒屢申弘益梁泰清元年始發彭沛門人擁從還屆揚都武帝敬供相接大陳御寓承定元年春乃請入内殿手傳香火接足盡虔長承戒範有勑住耆闍寺給講連續既會夙心遂欣久處世祖文皇又

請入昭德殿開講大集樂說不窮重筵莫擬孝宣御曆又於華林園内北面受道闡化洪勞因以搆疾至德元年建寅之月遷化于房皇心惻悼賻贈有加即以其月窆於開善之西山門人痛其安放士庶失其歸依矣

〔詩〕陪衡陽王遊耆闍寺　陳張正見

甘棠聽訟罷福宇試登臨兎苑移飛蓋王城列玳簪階荒猶累玉地古尚填金龍橋丹桂偃鷲嶺白雲深秋窻被旅葛夏戶響山禽清風吹麥壟細雨濯梅林

與張折衝遊耆闍寺　唐孟浩然

釋子彌天秀將軍武庫才横行塞北盡獨步漢南來貝葉

傳金口山樓作賦開因君振嘉藻江楚氣雄哉

小刹 唱經樓

在都城內北門橋北城地北去所領普緣寺　里　國

朝　仁孝太后建經樓唱念佛曲化導愚氓嘉靖庚寅

僧惠曉募緣重葺

殿堂 唱經樓壹楹 小佛殿叁楹 僧院房壹 基址貳畝 東至官街 南至官街 西至官街 北至劉家房

小刹 普賢菴

在都城內北城通賢橋地西北去所領普緣寺　里

殿堂 山門叁楹 正佛殿叁楹 僧院房壹 基址壹畝 東至官街 南至官街

北至官街

金陵梵刹志卷二十五

中刹

吉祥寺 古刹 敕賜

在郭城東北定淮門内北城水軍左衛地南去所統天界寺十三里勝國時爲天妃廟永樂初奏建改寺萬曆間僧貝慶募修按金陵志宋有吉祥寺治平二年賜額疑即此

殿堂 金剛殿叁楹 天王殿叁楹 天妃殿叁楹 左鐘樓壹座 大佛殿伍楹 方丈壹所 僧院陸房 禪堂叁楹 基址叁拾伍丈 東至黄船巷 南至官街 西至官街 北至古林菴

文

重修吉祥寺碑

明修撰秣陵焦竑

蓋聞知言說之本空者因言可以闡教了色相之無礙者卽相可以明眞故僧會遊吳法蘭入洛精廬表於南國招提創自東都詎非以竹林檀閣目擊道存柰苑祇園因敬生悟者哉或者謂理超生滅之界卽建立皆有漏之因道絕形識之封則像教非無爲之旨是又一隅之淺智非通人之大觀者矣何者法之爲言也貫有無等空色融理事混中邊諸佛體之則三菩提菩薩修之則六度行海會變之爲水龍女獻之爲珠天女散之爲無着花善友求之爲如意寶故風柯月渚總露機鋒蘚徑蘿龕咸提宗趣豈以象巖窈窕非解脫之玄宗龍藏森嚴悖尸羅之玅躅者哉

吉祥禪寺者勝國時天妃廟在焉北接鳳凰之嶺形勢逶迤南亘清涼之山几按廻薄東則鍾陵標擧雲根之所出沒西則馬鞍低控江濤之所激蕩兼之修竹萬箇挾淇園之遺蹟蒨桃千樹藏武陵之舊事誠南都幽勝處也永樂初增置爲寺　朝廷降敕護之正統辛酉住持智能復加修葺迨今百四十年矣開林薙草古非乏人紐業承基久難其續尋至榱椽漸毁經像無依此緇素之所共惜人天之所興歎也釋眞慶者一心凝練五泉宗推萬曆以來總持茲寺傷智幢之欲折愍戒寶之將沉矢志選材庀徒作室時則景仰者聞風助道效力者說以忘勞重開方便之

門大啓圓明之域遂令三身兢爽四殿肇新雲退寔巖出
鈴閣山堂之妙月來湛水現鍾臺巃樹之奇蓋不必借座
燈王請飯香土而洛水璽書之頌芳園華蓋之祠庶幾其
不墜已是役也徐君承宗顧君其言李君紹者提萬户之
侯印弆三乘之聖諦率衆相工既殫厥力詣余謀伐石紀
之余也佩伽佗之一尢飲醻池之八味高談寥一古則愧
漆園翁深入不二今則非維摩詰第以遺民棲荆於蓮社
玄風拾橡於檮林嘗沐無緣之慈忻覩可久之業寓言頌
禱敢辭纂刻之勤垂示來茲永作津梁之助其詞曰攸攸
法界芒芒品類智惠停輣無明縱轡癡城恚海情欲意率

疇擊其蒙，疇覺其寐。其一猗歟大雄，乘運而興，高披六度，妙演三乘。開茲闇室，示以心燈，聲聞色見，彼岸同登。其二大教陵夷，枝分派衍，正法日深，像教日淺。二諦旣偏，一如誰顯，方廣終湮，眞空莫演。其三誰能獨悟，種智都圓，思超繫表，道照機前。拈草建刹，指栢參禪，卽相卽實，何白何玄。其四翹翹鳳山，名藍夙敞，無平不陂，有復斯徃。昔也莊嚴，今茲灌莽，像設蕭踈，停驂遠想。其五有美儕英，重啓香臺，事從緣合，緣因善胎。千光霧動，七淨艧開，蘭山桂水，於焉裴徊。其六夙仰蛾眉，忻聞鷲嶺，其風可美，修途難騁。館宇新開，薰修日引，戒月悲花，目瞻心領。其七經行宴坐，松門蕙樓，無金可繪，有

石堪留銘題翠琰字勒銀鉤願見聞者同乘智舟其八　萬

曆十年壬午仲冬

金陵梵刹志卷二十六

中刹 **金陵寺** 勑賜

在都城定淮門内北城天策衛地南去所統天界寺十五里

【殿堂】金剛殿叁楹 左鐘樓壹座 右鼓樓壹座 眞武殿叁楹 左伽藍殿叁楹 右祖師殿叁楹 大佛殿伍楹 廻廊捌楹 方丈壹所 僧院拾壹房 【禪堂】貳層陸楹 基址拾畝 東至官街 南至官巷 西至項家岡 北至温家岡

【公產】地山共貳拾畝

金陵梵剎志卷二十七

中剎 蒼雲崖嘉善寺 敕賜

在郭外南去所統天界寺三十五里神策門五里北城牧馬所鉄石山地相傳是達摩渡江處山椒有石佛閣建立不知何代正統間僧法通見而掛錫因建寺奏賜今額山深樹古垂藤絓壁有蒼雲崖硿硎欲墮奇怪異狀一閣開櫺臨其左有一線天雲穿霞漏巖壑之幽絶者所領小剎曰崇化寺募府寺吉祥菴妙泰寺三塔寺

殿堂 天王殿叁楹 大佛殿叁楹 佛堂貳楹 蒼雲閣叁楹 方丈伍楹 僧

院陸房基址拾伍畝東至章汝洪山南至王一江民田西至官路北至鉄石岡

公産　田地山共肆拾肆畝

山水　一線天山後有石壁如屏高峙霞表中圻裂視天光僅露一線故名　蒼雲崖崖前有平石突起如拳圍可數丈焦太史移閣於山左向崖開牖而石之奇得坐賞焉

文　重修嘉善寺記略　明南吏部考功郎鄭宣化

英廟時有祖堂僧法通者來遊鉄石山見山西椒有石佛菴菴不知其何自始幽深秀阻人言達摩曾此渡江處因掛錫焉訪者來通爲說法皈依者衆區隘莫能容通捐貲兼募買山爲住錫計無量殿天王殿觀音殿法堂以次修舉訖工如京師通政使李公錫爲引奏制曰與做　勅賜

嘉善寺正統八年二月十五日也嘉靖間殿堂圮壞金像露頂而坐住持大智募於十方支頹緝窳如初未幾濕潰蟻齧不二十年支緝者腐敗且半松爲住持思纘先績復募而重修之於是寺復煥然增新視崇化幕府獨擅雅勝矣

萬曆五年六月日

重修嘉善寺募緣疏　明修撰秣陵焦竑

金陵古佳麗地而北郛爲最非獨湖山秀暎爲選勝者所躭游抑亦車馬聲跡寔棲真者所樂就也而嘉善又蜀占其勝彼其瞻鍾阜枕大江俯澄湖挾幕府闚天石壁鑿自五丁滿地藤蘿幽參二酉而山門未移法王焉妥禪堂未

建雲水無依此桂軒上人所以喟焉而永嘆也余嘗謂今時人士小治園亭輙窮水陸雖捐數十百金弗惜至飯一僧葺一刹即半菽一毛拊心蠲痛則以執我我所曲士之恒情自利利他通人之達節未易同日譚也誠使探奇韻士佞佛高人飄然命駕一徜徉於此山松風水石之間將焦渴之腸頓霑甘露而塵勞之性蹔獲清涼必有五體齊捐七寶爭施者因書以俟之

嘉善寺蒼雲崖修葺疏　明修撰秣陵焦竑

南都山水聞天下而城東北爲最玄武湖幕府山梅花水燕子磯相綺錯而以巖石勝者嘉善寺蒼雲崖爲最諸石

森列奇勢迭出或盤坳突怒如靈丘或端嚴挺立如正士或縝而潤如珪璧或廉而劌如劍戟或蹲如怪獸或側如横几至其攢簇而輻輳深靜而窈窕行之而臨下若谷望之而闚天於隙晴雨異狀煙霞弄色雖非閎鉅之觀而亘伆一拳千里一瞬達者有眞賞焉苐閣當巖腰勝障其半且頹隳不支久矣往姚郡伯叙卿見曰此一移置之庋閣之顛可支石之勝盡出而卒不果今歲新安張君康叙同謝君少廉洪君禮卿王君君曰常遊而樂焉與郡伯君語悉懸合乃謀於余及常君國寶約名勝士相與醵錢撤而更之夫古之嗜石者如唐之平泉宋之艮嶽非丕不鉤深致遠

獻瑰爭奇然犨巉巖凌險阻歷歲月疲工力可致以成亦可徙而去未幾委棄道路淪落草莽徒以增今昔廢興之歎孰若茲崖一丘一壑坐而得之使問禪者可憩攬勝者忘歸致足樂也諸君子必有離世樂道能成斯志者其亦以此告之　萬曆甲辰夏日

詩

遊嘉善寺　明顧璘

蒼石斵蒼雲誰遺空山裏藤蘿覆細路披煙得奇詭巉巖負龍脊嶮岈露鼇齒修竹照人清幽花傍泉紫樹古丕危根欲斷不可止金陵百名勝無地可　墮貪痴秘匿胡乃爾天地終刼灰況我二三子取笏端下拜託交自

今始

嘉善寺石壁　明焦竑

平生寡所營幽期在林壑及辰訪雲根巾車蔭南岸山阻覺徑紆苔滑嫌足弱危嶺胥緣蘿空庭下鳥雀崖傾石欲墜澗折泉如約一線喜披豁雙壁驚峭崿行看巖腹穿坐知谷口拓朋儕笑相顧文酒時間作風徽結篇翰嘯傲寄杯勺誰言賞心遲投老幸可託

小刹　崇化寺　古刹　敕賜

在都城外西北南去所領嘉善寺半里神策門五里北城李子岡地相傳古刹名高峯院　國朝正統間重建

賜額今殿宇就圮重修未竟山巖下一小池方尺泉自下起蹙沸出水面若散花復暗流細澗出山下山多梅因名梅花水

殿堂　佛殿叁楹　僧院叁房　基址拾畝東至鐵石岡　南至官路　西至官路　北至官山

公產　田山共叁拾捌畝捌分柒厘

山水　梅花水其源自石隙中湧出味甘美每一升與他水較重數兩

文　崇化寺碑記略　明吏部尚書蕭山魏驥

都城之北距六七里有嘉境焉清淨幽邃東連蔣麓西枕大江負林巒而面
楓宸左嘉善而右幕府羣山如抱松

檜蔚然中有古刹名曰高峰不知何代創建也　國朝太
興聖教度越前古作樂章而讃佛錫徽號以崇僧法王之
名昭示遠邇中外建精舍名藍　內苑起大善寶殿招提
勝境遍布天下正統紀元以來名山福地益信益崇是以
菩薩戒弟子父祝等各出巳帑鼎新重建工既畢奏請寺
額　勅賜崇化之號　正統九年丙寅春二月

詩　梅花水　明焦竑

投策長林外浮杯曲水隈影搓頻寫翠香冷不關梅雨脚
添新藻雲根翳淺苔煩襟端可滌欲去甦徘徊

小幕府寺　古刹

刹

在都城西北南去所領嘉善寺二里神策門五里牧馬所留守後衛北城地幕府山晉元帝渡江王丞相導嘗建幕駐軍于此圖經云梁天監中武帝與寶公來遊始建爲寺名同行一名聖遊後改秀巖院嘉祐中又改寶林寺　國朝如今名萬曆庚子重修林岫翛然幽灑深靜達摩洞前可瞰大江寺旁有蘆數千枝相傳達摩折以渡江之餘

殿堂　大佛殿叄楹　觀音殿叄楹　僧院壹房　基址叄畝東至官山南至官埂西至金家園北至達摩洞

公產　田地山共壹百貳拾玖畝伍分伍釐

山水 幕府山 魏人至瓜步文帝登此山觀形勢 北固峯 山南 夾蘿峯 一名翠蘿山在寺西北 達摩洞 洞寬廣可二三丈洞前可望大江 仙人臺 中峯 虎跑泉 中峯

古蹟附 五馬渡 山前晉元帝與彭城諸王五人渡江處 梁武帝石牀石榻 孫權時物 武帳岡 在幕府山東南岡側有武帳堂宋武帝嘗以開酒禁宴于此勑諸子且勿食至會所賜饌日旰食不至有饑色乃戒之曰汝曹少長豐佚不見百姓艱難今使爾識有饑苦知務 化龍亭 卽晉元帝五馬渡江一化爲龍處因名亭 以上俱無考

人物 梁 達摩 有傳 寶誌 梁武嘗與同遊

文 幕府寺修造記 明修撰秣陵焦竑

都城西北十餘里有幕府山晉元帝自廣陵渡江丞相王

公茂弘建幕府於此山因以名西有宋明帝陵及茂弘温
太眞墓石徑上出青巖翠蔓蒙絡葳蕤與風推移名夾蘿
峰亦名翠蘿峰又上洞門窈然可望可居長江迴合極目
千里與鍾陵繖山相縈帶登覽奇處也寺在山椒稍東圖
經云梁天監中武帝與寶公來遊見林巒殊勝始建爲寺
名同行一名勝遊後改秀巖院嘉祐中又改寶林寺法堂
琪樹鬱然梅摯詩影借金田潤香隨璧月流遠凝元帝植
近想誌公遊指此也余外王父徐公瑩去寺二三里許嘗
携兒輩歲一至焉崇化嘉善二刹臚列而茲寺垂陁傾椅
不支自成化甲午以來不葺者[illegible]二十[illegible]矣萬曆庚子僧

爲方如覺拙衣鉢之餘積合檀施之淨貲凡幾百緍撤而新之爲大殿者二如其法作佛菩薩於中與十八尊者相殽皆備堂皇高廣棼橑有嚴光輝韡然風物具美時一升其間玄湖之水木鍾阜之雲物雜沓而入相爲澄曠與三三子顧而樂之二僧請爲記余攷六朝史王氏自茂弘而下子孫有傳者至七十餘人功名家世之盛自天地剖判以來所未嘗有也然去之甫千載尋其墓於荒榛野草間皆無知者以彼祖詒孫燕業著名尊可謂六代之宗工一方之華冑已而猶然泯泯如此況夫么麼宵人弄其區區之智力排善良攫貴富譬之衝飈之一螢而欲其久存豈

可得哉若茲寺盛而衰衰而復盛雖屢起屢仆而卒還其舊觀以此知道在世外良非虛語而夢幻之榮名不足言也二僧器宇樸雅可愛其爲人精敏而謹嚴鄉人信之咸此當無難者而此地有茂弘太眞之遺跡與陳霸先周文育之戰功既令人感慨嘆息而寶公嘗遊於斯尤足以發來者景行之心故強爲記之諸捐貲者載其名於碑陰不書

游幕府寺記

明兵部尚書喬宇

予每游梅花水水在崇化寺後石竇隱隱而出[illegible]寺之山蜿蜒起伏背向相望地頗幽邃蓋出都城北十餘

里後聞幕府山即去寺二里許實相連屬癸酉仲秋出游從李子岡西行與梅花水之路實岐於此乃緣山二里許山之闕見寺之殿脊由徑迴曲度石橋入寺寺荒落頗幽後一室有石榻云吳王所棲又有蘆數枝云古僧達摩渡江折於此此其所遺也皆漫不可考出寺一徑登山至一絶壑但見江水洶洶於前崎嶇不可行復折南至山脊平曠處趺坐云此地即晉王導迎瑯琊王東渡建幕之處也山名取此又登至巔見江流浩渺兼葭楊栁田疇沙渚相帶遠近征帆漁艇輕鷗飛雁歷亂於前時草黃落路滑兩人掖之而下緣山曲仄足向北行至一巖空洞窿起下臨

江流云達摩嘗息於此予篆題達摩洞三字并識歲月與同遊者姓名兩峯相夾處有小城堞葢都之外郭阻山帶江者也其峯名夾蘿亦釋氏家之說相傳至今

傳

達摩祖師傳　　神僧傳

菩提達摩南天竺婆羅門種梁武帝普通初至廣州刺史表聞武帝遣使詔迎至金陵帝親問曰朕即位以來造寺捨經度僧不可勝數有何功德師曰並無功德帝曰何以並無功德師曰此但人天小果有漏之因雖有非實帝曰如何是真功德師曰淨智妙圓體自空寂如是功德不以世求帝問如何是聖諦第一義師曰廓然無聖帝曰對朕

者誰師曰不識帝不省玄旨師知機不契十九日遂去梁折蘆一枝渡江二十三日北趨魏境尋至雒邑初止嵩山少林寺終日面壁而坐九年遂逝焉葬熊耳山魏宋雲奉使西域廻遇師于葱嶺見手攜隻履翩翩獨逝雲問何去曰西天去又謂雲曰汝主已厭世雲聞之茫然别師東邁既復命明帝已登遐矣迨孝莊即位雲具奏其事帝令起壙惟空棺一隻革履存焉

詩

登幕府山絶頂　明顧璘

江山開壯觀風日澹清秋攀陟良多險登臨足寫憂洲横鋪練出江拂畫屏流霽景千巖秀鳴淙萬壑幽風帆天際

滅沙鳥鏡中浮今古興衰地乾坤浩蕩遊長歌懷往代遐覽託冥搜名相今誰在神僧不可求唯餘山水地作險鎮
皇州

夾蘿峯　明顧源

紅日纔生暘谷東魚龍吹浪曉濛濛徜徉笑指三山路玉竈銀牀紫霧中

遊幕府寺　明王韋

將軍分幕府昔駐此山隈事往遺墟在年深古殿開石牀橫蔓草巖洞長莓苔遶砌黃蘆遍無因隻履來

達摩洞　明焦竑

禪龕沿緑嶼石洞俯滄波風雨江聲壯魚龍夜氣多停杯今日望飛錫向時過欲問西來意踈鐘度薜蘿

小刹 吉祥菴

在都門外白土山北城地東北去所領嘉善寺四里南去神策門二里

殿堂 華光殿叄楹 佛殿叄楹 僧院壹房 基址叄畝 東至大路 南至官墳 西至官墳 北至蔣家山

小刹 妙泰寺

在都城外北城龍江右衛地東去所領嘉善寺五里南去神策門四里成化年刱嘉靖間傾廢今止數楹僧棲

泊焉

殿堂佛殿叁楹　僧院壹拾柒間

基址伍畝　東至蔡家民田　南至蔡家民田　西至官街　北至陳家坟地

小刹三塔寺　敕賜

在都城北瀋陽左衛北城地東北去所領嘉善寺五里南去神策門一里　國朝永樂間雞鳴寺住持德琮奉旨于靈谷寺建法會因口奏與爲雞鳴寺塔院後正統間僧智源啓奏　賜額如舊萬曆間傾圮募緣重修

殿堂山門叁楹　天王殿伍楹　大佛殿伍楹　僧院捌房

基址伍拾陸畝　東至徐府山　南至楊家民田　西至劉家田　北至官水溝

公產　田地山塘　共玖拾柒畝伍厘

古蹟　附　寒光亭　見舊志今無存

文　三塔寺新修記　　明修撰秣陵焦竑

留都城之北鍾山玄武湖之側有寺曰三塔其先本以屠蘇受名僧智源禪誦其中永樂十四年　文皇帝北伐時昭皇帝監國智源者啓奉　令旨得改建爲寺至正統三年始賜今額迨今幾二百祀矣世代既遠風雨蠹蝕于是殿堂門廡竄搆架于傾圮丹青黝堊剝崇飾爲無色而使日城慈室之區不具莊嚴攝心問道之輩失所瞻嚮益弘六度之施修二梵之福者不見其人亦久矣至是而住山

濟安者乃發大願謂當吾之世而任其損敗如釋種何擱然以修復爲巳任而三利無所出則以惠淳等力能勸導以募化屬之於時聞聲喜捨依法願助者莫不負財麇至以樂厥成葢經始于萬曆乙丑六月以壬辰十月而工訖焉而寶殿成於流銀列楹昭乎煥景仍鶴林之舊趾改龍剎之新觀矣住持慧憶以工役歲月不可無紀遂礱貞石以載之余惟佛之成道成在伽耶耳乃其國中精舍列凡惟五而阿育王所刱至于有八百其爲沉沉甚夥矣然而佛身無爲不墮諸數假令有所住曾不三宿去之如是種種招提意以無著之心必不棲棲於是而在震旦之中即

多置之不增於阿育少置之不減於伽耶也若三塔者始焉創其無茲焉葺其有宜無輕重于佛土而顧若是不可已何與吾想東土之爲寺始也葢以處摩騰也今都城内外精藍星錯豈直變置祇陀移之神地崇以嚴祀如饜龍華而顓顓爲依佛地哉蓮宇花宫葢以爲勝流法侣棲託之所也故四輩旣緐則五重爲臨將來未益則已故宜新茲寺之修葺所以不容已者而因是余有說夫凡棲託於是何爲者背親違家依林藉樹固以勤行苦行祈證成佛云爾而性體本圓金剛不壞非若傾頹摧剝之待於增修卽法卽心心無非法非若梓材埏埴之資於外假顧以願

力爲役徒以毘尼爲繩墨以精進不二爲執作以解脫離滅爲落成是入道之工程而證果之匠石也所謂覽劫雖遼修焉如嚮命之曰真修不慙媿釋種其人矣如或不然而徒以層搆孔碩爲皈依以金碧焜燿爲色相是亦歸木巧於流遁以鴻教爲逋藪云爾何貴於修葺之爲吾故終言之以爲來者告庶惕於斯言不虛爲三塔也者而與爾寶之兩塔並著爲淨域也永永其無極哉　萬曆癸巳仲春

詩

三塔寺寒光亭詩　宋張孝祥

亭依三塔占清幽松竹環除翠欲流曉色晴開千丈月波

光冷浸一天秋瓊瑤影裏詩僧屋雲錦香中劒客舟風送

不知何處笛鴈聲驚起荻花洲

金陵梵刹志

金陵梵刹志卷二十八

中刹 普惠寺 勅賜

在都城外東去三山門半里，東南去所統天界寺七里。

永樂間爲唱經樓，天順年重修，賜額，每正旦節百寮

於此拜進表箋，今禪院重建法席，新開玄風漸邑。

殿堂 金剛殿叁楹 正佛殿叁楹 左伽藍殿叁楹 方丈叁楹 拾捌僧院

基址伍拾畝 東至城河，南至官街，西至官街，北至造船廠。禪堂正

門叁楹 十方堂叁楹 大禪堂叁楹 祖師堂叁楹 靜室貳楹 廚庫等

房叁楹

公產 租房壹拾叁間 房地貳拾叁間半 地壹畝 禪堂租房壹拾肆間

山路
方丈
禪堂
廊房
大路
江水

右燕子磯景
观音門
大路
俯江亭
関王廟
燕子磯
張承祖刊

左弘濟寺景
大雄殿
伽藍
觀音閣

地藏石洞
大佛殿
殿
祖師殿
藏經殿
鼓楼
鐘楼
天王殿
洲界

金陵梵剎志卷二十九

中剎 燕子磯弘濟寺 敕賜

在郭城觀音門外燕子磯北城地南去所統天界寺四十里神策門十里洪武初即山建觀音閣正統初就閣建寺　賜名弘濟殿閣皆緣崖搆成危石半空嵌絕壁上以鐵繩穿石繫棟俯臨大江咫尺望磯頭下瞰江水如燕怒飛波濤噴激磯上有漢武安王祠及大觀亭俯江亭皆鑿磴引緶而上與寺參差闘爽江中望之丹巖翠壁朱欄碧樹歷歷如畫所領小剎曰清真寺觀音寺梵惠寺

殿堂　金剛殿叁楹　左鐘樓壹座　右鼓樓壹座　天王殿叁楹　祖師殿壹大楹　正佛殿叁楹　無量殿壹大楹　左觀音閣叁楹　左八難殿叁楹　右藏經殿叁楹　右伽藍殿叁楹　僧院玖房　基址伍畝東至燕子磯南至城牆西至觀音岩北至大街　禪堂壹所貳拾貳楹　附　漢武安王祠壹所原係本寺伽藍殿今為道士所居有記另入名祠志內　大觀亭壹座　俯江亭壹座有記入名祠志內

公產　田地山共玖拾畝壹分玖厘

山水　觀音巖架閣其上據山絕壁下臨大江勢極危峻憑檻參空眺遠蓋極佳處　燕子磯山右有石臨瞰江水形如飛燕故名　大江在江岸　石闕雙石屹立從闕中入寺

文　弘濟寺碑記略　明禮部侍郎呂柟

弘濟寺在金陵寒橋之觀音岩北去都城一舍許岩洞幽深山水縈迴囂塵遠隔彷彿乎南海之普陀岩凡官民趨於國事商旅務於經營舟楫往來或遇風濤險阻以誠禱之者皆獲平順應如影響洪武初年有僧號久遠道行圓融立閣於茲遂名觀音岩後爲歸併寺宇本僧於右順門奏奉 太祖高皇帝聖旨觀音岩與那老和尚住欽此由是沙彌雲集香火滋盛時宣德乙卯金像剝落殿宇傾頹乃勸於衆樂善好施者聞風而來擇正統元年閏六月十八日肇始建 佛殿大悲閣天王殿金剛山門僧舍廊廡丹彩相暎若牆垣堦砌之堅完廪庫庖湢之工緻規模勝

舊鼎建一新不逾年而訖具以上　聞聖恩　勑賜額曰弘濟時正統丁巳四月之十一日

遊弘濟寺記畧　明禮部侍郎呂柟

己丑二月虛齋王子崇邀弘齋陸伯載及予同遊燕子磯是日予獨先往北出觀音門傍山西行登弘濟寺磴數十層寺西則觀音巖也怪石礌垂蒼黛參差上接雲霄而大江自龍江關西南來直過其下俯案墻睇之可駭僧曰此基皆石甃乃從僧上觀音閣閣亦傍巖下就江滑築基[illegible][illegible]立九柱皆丹柱上棚棧構閣閣三面皆欄杆憑之瞰江若在樓船頂立也是時晴見萬里日映碧流江豚吹

履上下西望定山如蛾眉東指瓜步卑丘垤他山皆民閑冥冥如落雁蹲鴻不可辨矣昔予在解州嘗遊龍門眺砥柱登流丹亭汲河烹茶以吊禹墳至此乃勃然與懷辦矣下奇觀尚有過斯二者乎閣東崖有白巖喬公篆書刻石上而虛齋弘齋皆至乃復同升閣上流覽歎賞虛齋乃招二簡師從升往至觀音港登壽亭侯廟先至水雲亭遂上謁壽亭侯左有大觀亭至此看江日隱斷雲煙霧霏微蒼茫無際矣遂攀松捫蘿以上燕子磯磯皆巉石疊起水圍三面其石罅猶見江轉磯底可以高覽八極也

[詩]

登觀音山　　明宗臣

一上孤峯破大荒吳山楚水更蒼茫雲間棟宇垂天渚江上黿鼉吹石梁絶壁晝開風雨色斷虹秋挂薜蘿長吾將從此尋瑶草黄鵠天風好共翔

登觀音閣　明柴竒

海湧蓝珠宫飛凌萬木中潮生朝閣迥雲出夜堂空鴈落平沙白鼉鳴孤嶼風凭闌幾呿步吳楚一帆通

登觀音閣　明陳鳳

縹緲飛樓前江水滙諸天魚龍掀舞浪花碎黿鼉隱見波光偏高歌對酒當此閣破浪乗風何處船且須吸盡江中水還向石頭來問禪

遊觀音閣三首　明張時徹

春江一雨過樹樹水禽喧草色沒羅幰沙光轉石門戍樓雙角渺客路片帆昏水靜月來早松醪正滿尊　一

同是宦遊客來登江上樓牕中雲不滅島下水長流日薄海西樹鳥暗沙際舟長唫未能去宴息草堂幽　二

曲水寒橋路斜陽燕子磯星河浮海嶠魚鳥託春衣金碧雲俱落魚舠月已輝爲官得水宿顛倒話松扉　三

遊燕子磯　明張鏊

燕磯千尺梟洪波霜磴連雲晚歲過一色遠空飛鴈鶩九江浮沫聚黿鼉亭依峭石苔文古幔捲中流樹影多岸幘

潮平閒對酒寒煙深處起漁歌

燕子磯　明陳芹

燕子磯頭江影低俯觀千嶂隔林迷空江雲合水龍出高樹月明山鳥啼竹露瑶觴秋瑟瑟天風玉管夜凄凄當年攜手人何在滿壁蒼苔没舊題

九日泛舟燕子磯　明楊文卿

曉露簪初聚江風帽欲斜寒磯無燕子秋岸有蘆花煙起龍丹竈石沉浸彩霞未由解塵鞅爛醉卧漁家　一

飛閣流雲氣懸崖漱浪花乍看滄海日遥逼赤城霞衲子煙爲幙漁郎石作家茫茫浮世界咲指片帆斜　二

燕子磯　明顧璘

名山意自勝臨水趣轉幽况茲燕磯秀復枕澄江流孤根託何所上抱雲中樓空明瞰水府下見黿鼉遊衝濤蕩危石翻恐地軸浮元氣旋混茫長風吹不休西來疊浪色發自岷峨陬杳藹衆山影依微行客舟徙倚白日暮極目令人愁

登燕子磯次浚川韻二首　明王維楨

蔡生期久榮主父嘆日暮始圖豈不偉終稅寂無趣伊余慚豹姿敢云附隱霧睠茲清江流前種蒼桑樹四節逝不居奄忽改芳杜因之慕幽人冀與訂良晤天外狎鷗羣雲

中躡山路所嗟之羽翰萬里安能去弱冠事遨遊廿年承雨露戀恩恩未酬檢齒齒非故驅逐將何如徒令鬢髮素旅客苦未央日夜相糾錯雖云廁纓冕何異坐窘約散步出郊圻儵登川上閣波長情既延景異跡仍泊目睇江雲眷意屬渚禽落秖令鄉思馳轉覺衣帶濶行止嗟誰尤悔吝亦自作王喬厭塵劫屈平嗜蘭薄徃哉無滯駟去矣有飛鶴窮宛二山秀靈恠五丁鑿且共同懷子相從覓所樂

小剎 觀音寺

在郭城觀音門外北城寒橋地南去所領弘濟寺三里神策門十五里舊在鷹揚衛地因江流噴蕩嘉靖末移

置於此因舊額

殿堂　山門壹楹　天王殿叁楹　佛殿叁楹　僧院壹房　基址貳畝　東至鰣魚廠　南至馬房倉　西至顧家冲　北至大江

文　重修觀音寺碑略　明南尚寶卿許穀

金陵都城之北置觀音門以爲内衛門之外弘濟寺漢壽亭侯祠在焉襟江枕山民居稠密語地勢之壯盛者莫踰於此環江立鰣魚廠以薦　上新廠前　勅建觀音寺俾護　國安民昭示久遠而寺之故地在鷹揚衛地方因江潮泛漲既蕩于水而故寺弗存久矣迺今建於鰣魚廠左隙十有八年住持靜潔苦心修行永懷圮廢詛盟於神遐

邇甸投緣疏募是以施地損財有里人陳陟協力贊助爰計累儲之數衍溢十千於是彙般爾之徒效姫魚之智楩楠良而楹欐中焉甎擾習而甃塈工焉丹碧繪而綵飾炫焉金錯精而鎔範成焉搏換巧而像偏儼焉庶品協豫師匠奏能力萃諸人而庸底就規孔曼且碩神用孔安而寺建落告成矣然寺以觀音名者緣世人奉持觀世音菩薩名號而念彼觀音力者禍福還著於本人是知福善禍淫佛德無量無邊而寺之來有自矣夫以一寺之興廢雖存乎時而成否則由于人靜潔發厥善念復修此寺誠無愧于佛家弟子而施捨諸人之善根豈淺尠哉　萬曆八

年庚辰孟夏

小剎 清眞寺 古剎

在郭城觀音門外北城鍾山鄉南去所領弘濟寺五里神策門十五里右倚南洲塔成化間建寺按元金陵志云乾道志清眞寺舊名清玄寺梁大通元年置復廢唐大中中復置慶元志舊有梁時佛像建炎兵焚陳軒集載梁立曦次韻周橦清眞寺詩遺像梁朝佛即此

殿堂 山門壹楹 觀音殿叁楹 正佛殿叁楹 寶公殿叁楹 僧院壹房 基址拾畝 東至本寺田 西至本寺山 南至官路 北至本寺山

公產 田地山 共叁拾貳畝貳分玖厘

小刹

梵惠寺

在郭城姚坊門外北城地西去所領弘濟寺十里南去太平門三十里按舊志原在鍾山白水洼洪武初卜塋中山王墓因移置此地碮礎尚在

【殿堂】山門叁楹佛殿叁楹觀音殿叁楹僧院肆房基址叁畝東至本寺墳南至本寺田西至本寺地北至本寺山

【公產】田山共貳拾陸畝玖分叁釐

金陵梵刹志卷二十九終

金陵梵刹志卷三十

中刹 接待寺 勑建

在郭城江東門外西城濟川衛地東去三山門六里東南去所統天界寺十二里洪武三十一年勑建爲接待十方處所後圮嘉靖間重修規制漸隘所領小刹曰江東門積善菴中和菴報國菴

殿堂 山門叄楹 佛殿叄楹 左觀音閣壹楹 右地藏閣壹楹 僧院壹房

基址叄畝 東至官巷 南至本寺塘 西至民家 北至官街

小刹 江東門積善菴

在郭城江東門外典牧所新河岸西城地東北去三山

門十里所領接待寺　里　國朝韓憲王香火洪武初建

殿堂山門叁楹佛殿叁楹文殊樓叁楹右觀音堂壹楹僧院壹房基址叁畝東至火星廟　南至屯地　西至屯房　北至官街

小刹中和菴

在都門外西城地東去石城門二里　去所領接待寺　里正統間觀音菴改今名

殿堂山門叁楹佛殿叁楹毘盧殿叁楹僧院壹房基址捌畝東至鄒家墳　南至藕塘　西至民家　北至官街

小刹報國菴

在郭外西城典牧所小圩地，東去三山門七里，去所領接待寺　里。

殿堂：山門叁楹，左十王殿叁楹，地藏殿叁楹，韋馱殿叁楹，大佛殿叁楹，僧院壹房，禪堂叁楹。基址肆畝，東至官河，南至蘆洲，西至小圩，北至王家墳。

雨花臺
凌大德畫

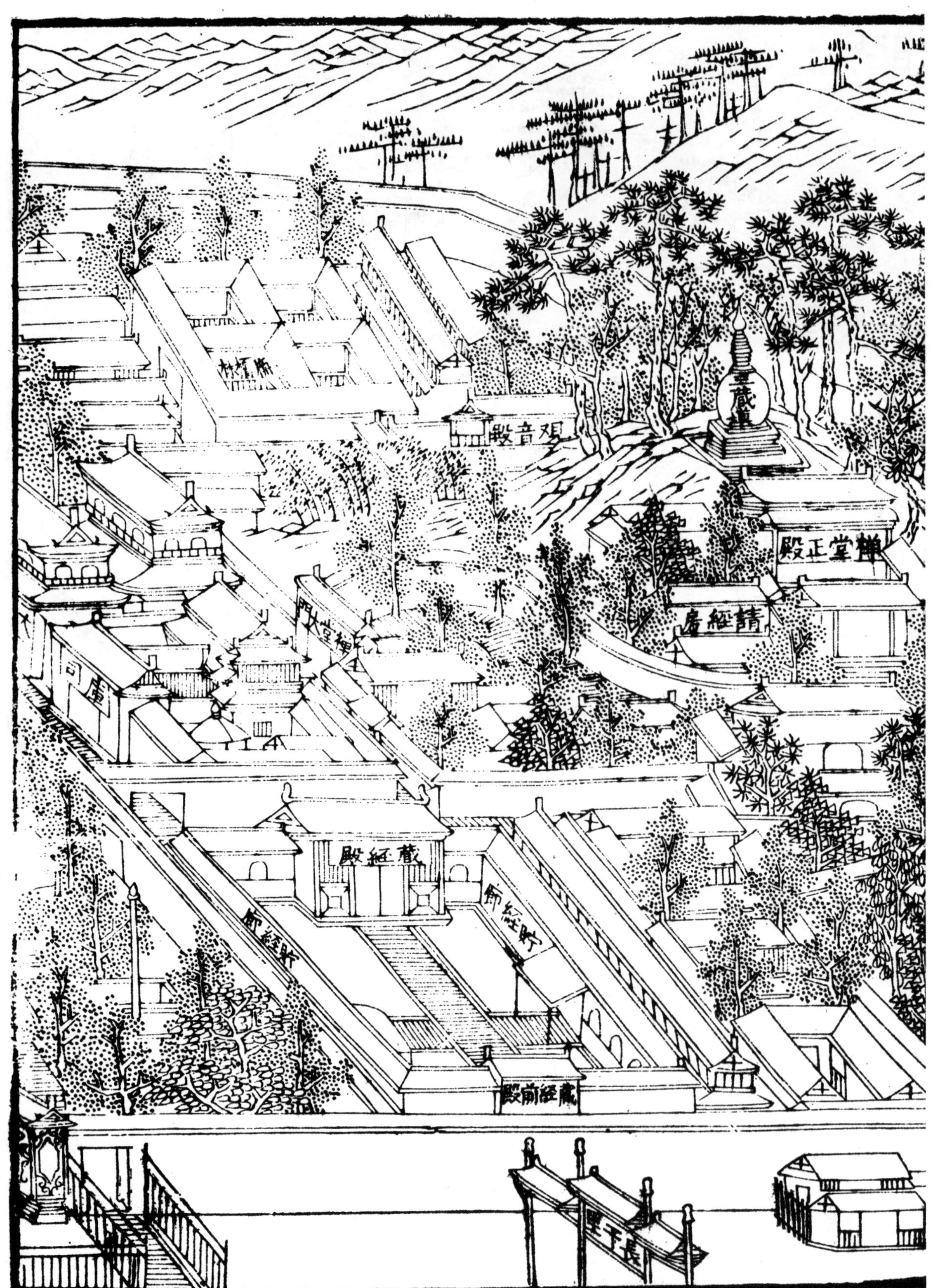

三藏塔
觀音殿
禪堂正殿
請經房
禪堂大門
藏經殿
經廊
經廊
藏經前殿
長干里

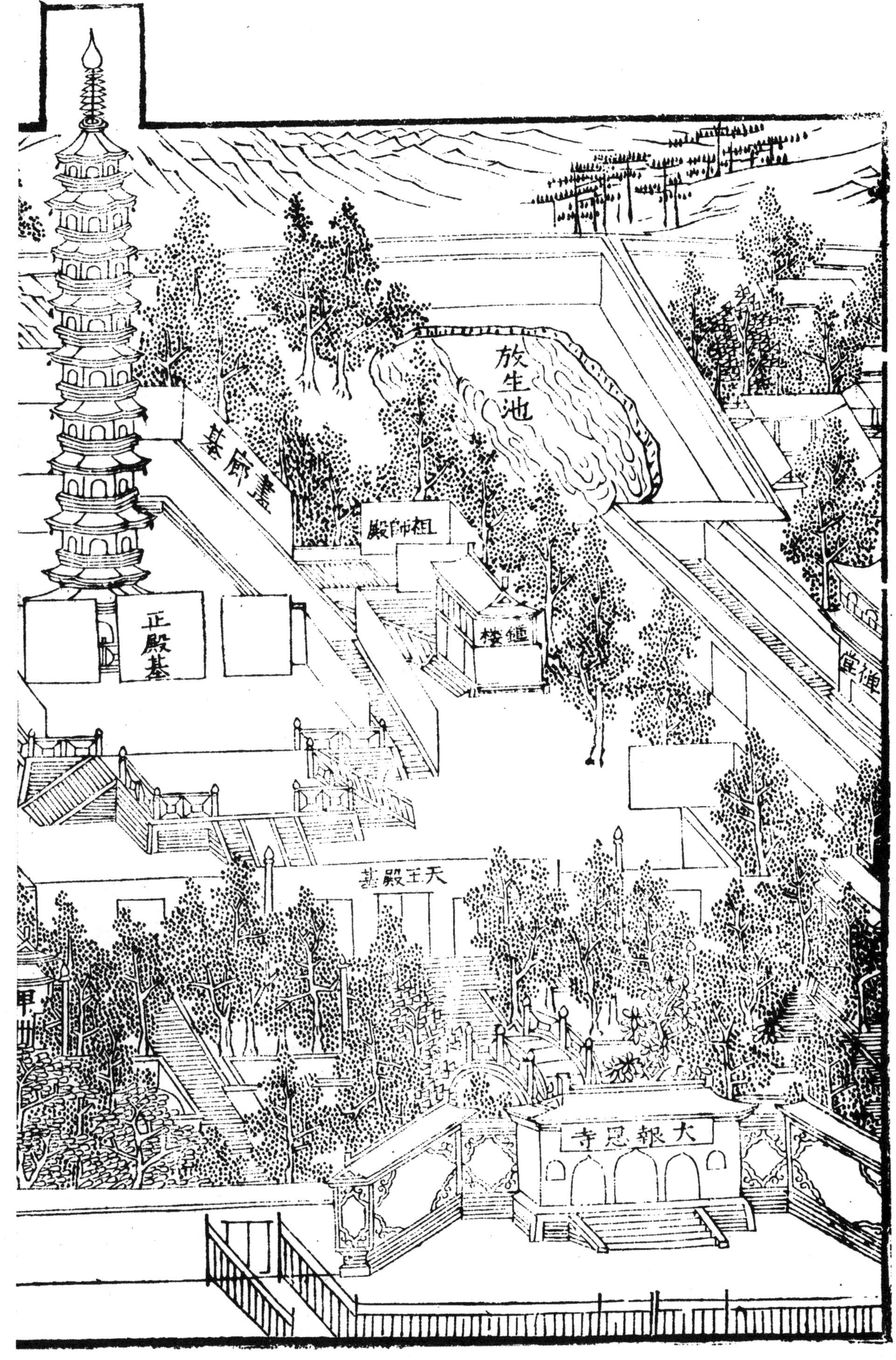

放生池
畫廊基
祖師殿
正殿基
鐘樓
禪堂
天王殿基
大報恩寺

報恩寺右景
畫廊基
法堂基
伽藍殿
油庫
井
南門

金陵梵剎志卷三十一

大剎　古剎　敕建

聚寶山報恩寺

在都城外南城地離聚寶門一里許卽古長干里吳赤烏間康僧會致舍利吳大帝神其事置建初寺及阿育王塔實江南塔寺之始後孫皓毀廢旋復晉大康間劉薩訶又掘得舍利于長干里復建長干寺晉簡文帝咸安間勅長干造三級塔梁武帝大同間詔修長干塔南唐時廢宋天禧間改天禧寺祥符中建聖感塔政和中建法堂元至元間改元興天禧慈恩旌忠寺至順初重修塔元末燬于兵　國朝洪武間工部侍郎黄立恭奏

請修葺永樂十年勅工部重建梵宇皆準　大內式中
造九級琉璃塔　賜額大報恩寺嘉靖末經火蕩然惟
塔及禪殿香積廚僅存萬曆間塔頂斜空欲墜禪僧洪
恩募修彩餙爛然奪目塔下有放生池構亭其上曰濠
上亭塔左而前爲大禪殿公塾方丈香積相鱗次又前
爲藏經殿貯經板其内禪殿後爲禪堂及請經堂皆今
丙丁年間用寺租及檀施重修禪堂後有唐玄奘石塔
即藏爪髮處寺外之左有山蔚然蒼翠者曰雨花臺登
覽最勝處自此琳宫櫛比名勝所萃而規摹宏壯罕與
此儷至浮圖之勝高百餘丈直挿霄漢五色琉璃合成

頂冠以黃金寶珠照耀雲日夜篝燈百二十有八妙

龍騰熠數十里風鐸相聞數里羣山大江都城宮闕悉

在憑眺中　賜有洲田廊房蔬圃寺額設右覺義壹員

所統次大刹二郭内曰能仁郭外曰弘覺中刹十四郭

内曰高座曰永寧曰永興曰西天曰普德曰碧峰郭外

曰崇因曰外永寧曰祝禧曰花巖曰祖堂曰清福曰福

興曰建昌

殿堂　金剛殿伍楹　天王殿止存基址　左右碑亭貳座　正佛殿止存基址

琉璃寶塔玖級　左大禪殿伍楹又傍小房叁楹　後禪殿伍楹　觀音

殿叁楹　放生亭壹座　公學拾楹　方丈庫司韋馱殿香積廚柒楹　中方丈柒楹

左方丈陸楹右方丈捌楹　右伽藍殿叁楹　僧院壹百肆拾捌房食糧牒僧叁百伍拾名食糧學生壹百伍拾名　基址肆百畝東至虢國公神路南至郭府墳西至寺前大街北至馴象街

經殿　前殿叁楹　正佛殿伍楹　左貯經廊拾玖楹　右貯經廊拾玖楹

禪堂　正門壹楹　韋馱殿壹楹　正佛殿叁楹　禪堂左右拾楹　十方堂伍楹　齋堂貳楹　靜室貳楹　請經僧房柒楹　厨庫等房柒楹

公產　戴子庄丈過實在田地塘蕩共伍千捌百伍拾玖畝柒分叁厘　臈真庄丈過實在田地塘溝共叁千捌拾柒畝柒分肆厘　寺前房地號房肆拾貳間半浴堂房壹所菜地伍拾肆畝伍分壹厘基地壹塊

禪堂　藏經板壹副　寺前池地放生池捌畝菜地貳大條

山水

聚寶山山多細石名瑪瑙　放生池琉璃塔左廣可捌畝近始淸復構濠上亭其上

雨花臺寺左登覽最勝處

古蹟

三藏塔石塔唐時建在寺內左宋天禧寺僧可政往陝西紫閣寺得唐三藏頂骨歸塔於此

附阿育王塔劉薩訶至長干掘得舍利近北對簡文所造塔另造塔一層至十六年沙門僧尚復加爲三層　舍利爪髮梁書出舊阿育王塔下

人物

吳康僧會有傳略　晉竺慧達有傳略　竺法曠有傳略　瓌法師有碑　宋僧伽跋摩天竺人善解律藏以宋元嘉十年自流沙至京師子國比丘尼鐵薩羅等至都衆請跋摩爲師繼軌三藏宋彭城王義康崇其戒範於長干寺招集學士寶雲譯語筆受考覈續出摩得勒伽分別業報略勸發諸王要偈　慧重言不經營應時若瀉宋孝武勅出家新安移止長干　曇穎少謹戒行誦經十餘萬言止長干寺辭吐流靡足騰遠理　齊明徹有傳略　僧

祐有傳略〔隋〕智炬於建初寺講三論常聽百人道張帝里學潤秦川〔明〕雪梅不知何許人止長干寺解詩清奇人爭傳誦之性宕不羈數年後行歌於市命童子圍繞踏歌曰老雪梅今日不歸幾時歸輒自荅曰歸歸一夕端坐而逝溥洽有誌略永隆有誌略

御製黃侍郎立恭完塔記　洪武戊辰十二月日

京南關左廂朱雀橋之左有浮圖層高九級根入厚坤塔之由來乃孫吳開創金陵建邦之時紀年赤烏而有異人康僧者抱釋迦之道至斯以說吳主權權乃悅塔之所建金陵之客山也其山自西南來濱江一帶或蜿或蜒或起或伏或蹲或立低昂俯仰之態君人之狀以朝鍾山毓秀磅礴川野結帝王之居君是也其康僧指謂權曰是山之

麓深若干丈下有如來真身舍利何謂之舍利曰佛行周圓精魂運化結實如珠水火不避昔如來入涅槃之時天上人間龍宮海藏天人鬼神各持以去建塔以安之故有天上人間龍宮之塔塔有八萬四千皆阿育王始此間鬼神將至佛法未施塔未建也權乃信剗山以驗之果得舍利權故難之此雖有驗難以敷誠旣有大神通必以神力更致一顆方乃是信僧於是設壇虔恭齋沐遥望西乾役巳之軀運巳之神七晝夜佛之威靈所至乃降一粒權乃大悅許建浮圖於是今之觀浮圖者豈知其來遠矣始孫吳至今一千一百餘年緣及歷代廢弛疊疊塔之頹壞凡

經華故而及葺理者修德施功之人又非一人而已洪武十三年胡陳亂政朕觀七朝居是土者皆臣愚君者多矣攷山川之形勢大江西來淮山弼之山麗川巨右勢足矣以此觀之龍虎均停擇帝居者宜其然也何故臣下之不臣無乃虎方坤位浮圖太聳之故於是命構架將移塔于鍾山之左工將完塔將毀有來告者工人有墜于塔下者絕於是罷役未幾令工部左侍郎黃立恭稽首頓首再拜入奏其辭曰臣立恭寓於世而無益于世羣于人而無善于人生無名於宇宙之間死不能同聰明之神遊於上下臣切慕之故思欲有爲未知可否朕謂曰丈夫天地間五

欲不生十惡不作何爲而不可也哉對曰臣見南闕有如來真身舍利之塔經兵被火周廻欄楯幷九層圖畫仙靈俱各頽壞欲完之特請　旨以施爲朕許之立恭拜而退詣所在經方定向若山則高益下損故基則增微壯廣施財砌工以營繕京之軍民聞立恭作佛之善事有施財以阿之者有誠然爲生死而布德者一時從者如流之趨下諸費折黃金二萬五千兩三年而來告塔已完矣大雄之殿僧房兩廡重門樓觀亦皆備矣羣僧會集有僧錄司右講經守仁者書通東曾經備西來於是命住持是寺仍勑禮部幷光祿寺饌素羞以飯諸人時機冗未暇親至遍

金陵梵刹志　卷三十一　五

半載　勅禮部曹召僧録司首官左善世弘道右善世夷簡等五人朕謂曰塔完寺備數年以來征討弗停陣沒軍將欲報其忠仗佛願力作大善事期日朕至仰視則塔穿鳥道平視則殿宇巍然俯看綺砌無不精專遊目塔殿所在金碧熒煌雖至愚而至魯者入其門首作爲建如是之功可爲罕矣且立恭職工部掌諸名材諸匠屬焉一一皆傭其工未嘗上煩於朕下挾於工者其傭工之資皆厚之世人有所不及設若立恭操愚夫之智日侍左右言頗信行倘有所需安不有微助令絶然無需入其門覩其境孰不爲之起敬噫方今智士居官食祿不能起造民福之心

乃以祿不足上亂朝政下虐生民其黄立恭昔本技藝所得者甚微然而設心爲善夫婦異處三十餘年朝出暮歸其妻送迎若賓禮焉未嘗有閒以一夫之智亦卒成此善事是其美也然而事成則成矣又其妻與閨內者盡皆爲尼嗚呼立恭之誠豈止外成于塔寺于家化及閨門然一家修善處於是方將必成矣佛之願力所處之處非至善而必至險諺云天下名山惟僧所居而乃佛處也今南關之山俯伏於鍾山之前蜂拱岡伏所以鍾來氣之精英雄一千一百餘年法輪常轉今立恭增輝佛日豈偶然哉故述記爾

報恩寺修官齋勅

永樂五年十月十五日

勅諭天下赴會僧衆朕惟佛氏之道清淨慈仁弘深廣大包含萬有貫徹妙微利益幽明功德無量比者　仁孝皇后崩逝舉薦揚之科啓無遮之會廣集僧伽諷揚經典百日之間嘉禎翕集慧燈降于金刹法雲覆于紺園繡絢五紋輝燦諸品毫光累現衆彩畢呈天花雨空满祇林之寶樹縞鶴飛舞繞碧落之旛幢佛之舍利或流輝於梵宫或騰耀于寶塔開照空之薝蔔爛湧地之摩尼動若驪珠炳煥午夜晃如虹彩燭影丹霄寶塔之前圓結金梅之果長下之境秀産瓊芝之祥若斯顯靈難以悉舉皆由爾衆毘

尼克謹梵行清修瀾飜八藏之文悟解三乘之旨秉至誠以奉朕命攄精意以叩佛慈其中亦有至人道化高妙飛行變化隱顯莫測感朕誠心來臨法會證盟善功朕德薄有未能知藉茲衆善遂致感通昭瑞應之蕃臻想神靈之濟度超遊極樂信有明徵朕實懽愉特加褒獎夫觀百川之流者必至海乃止虧一簣之功者則爲山不成爾等益勤精進庶永謝於塵緣究竟真空期早登於覺地利生助化翼我皇家欽哉故諭

重修報恩寺勑　永樂十一年

天禧寺舊名長干寺建于吳赤烏年間緣及歷代屢興屢

廢宋真宗天禧年間曾經修建遂改名曰天禧寺至我朝
洪武年間寺宇稍壞工部侍郎黄立恭奏一請募衆財略
爲修葺朕即位之初遂勅工部修理比舊加新比年有無
藉僧本性以其私憤懷殺人之心潛於僧室放火將寺梵
毁崇殿修廊寸木不存黄金之地悉爲瓦礫浮圖煨燼頽
裂傾敧周覽顧望丘墟草野朕念　皇考　皇妣罔極之
恩無以報稱況此靈迹豈可終廢乃用軍民人等勤勞其
力趨事赴工者如水之流下其勢莫禦一新剏建充廣殿
宇重作浮圖比之於舊工力萬倍以此勝因上薦　父皇
母后在天之靈下爲天下生民祈福使雨暘時若百穀豐

登家給人足妖孽不興災沴不作乃名曰大報恩寺表茲
勝剎垂耀無窮告於有衆咸使知之

御製大報恩寺左碑　永樂二十二年二月日

朕惟佛氏之道清淨堅固以爲體慈悲利濟以爲用包含無外微妙難名匪色相之可求無端倪之可測圓明普徧顯化無方有不可思議者焉朕　皇考太祖聖神文武欽明啓運俊德成功統天大孝高皇帝　皇妣孝慈昭憲至仁文德承天順聖高皇后開刱國家協心致理德合天地功在生民至盛極大無以復加也朕以菲德紹承大寶負荷不易夙夜惟勤惕惕兢兢祗循成憲重惟　大恩罔極

末由報稱且　聖志惓惓惟欲斯世斯民暨一切有情咸得其所繼述之重其在朕躬仰惟如來萬法之祖弘濟普度慈誓甚深一念克誠宜無不應增隆福德斯有賴焉南京聚寶門之外有寺舊名長干吳赤烏之歲所建歷世既遠興替相因宋真宗時改寺額爲天禧國朝洪武中撤而新之歲月屢更將復頹圮永樂乙酉嘗命修葺未幾厄于回祿今特命重建弘拓故址加于舊規像貌尊嚴三寶完具殿堂廊廡輝煥一新重造浮圖高壯堅麗度越前代更名曰大報恩寺所以祗靈迎貺上資福于　皇考　皇妣且祈普佑海宇生靈及九幽滯爽咸獲濟利用仰承我

皇考妣之聖志而表朕之孝誠今將竣事特志其本末於碑用昭示如來之道化我　皇考　皇妣之功德配天地之廣大同日月之光明而相爲悠久於萬萬年

御製大報恩寺右碑　宣德三年三月十五日

夫大覺之道肇自西域入中國行于天下其要歸于導民爲善一切撤其迷妄之蔽而内諸清淨安隱之域以輔翼國家之治而功化之妙下至幽冥淪滯靡不資其開濟是以功超天地澤及無窮歷代人主咸崇奬信我　國家自太祖高皇帝受命爲君功德廣大同乎覆載　太宗皇帝奉天中興大德豐功海宇悅服　仁宗皇帝嗣臨大寶功

隆繼述遠邇歸仁　三聖之心與天爲一與佛不二是以
道高帝王恩周普率四方萬國熙皡同春朕承天序寅奉
鴻圖惟　祖宗之心操存不越惟　祖宗之道率履弗違
至於事神愛民一惟先志南京聚寶門之外故有天禧寺
我　太祖皇帝加修葺之致清理之功歲久而燬　太宗
皇帝更新作之名大報恩寺上以伸　聖孝下以溥仁恩
經營之精深規模之廣大極盛而無以加焉垂成之日
龍輿上賓　仁宗皇帝臨御用竟厥功制作之備煥焉炳
焉踔立宇宙光映日月于以奉　萬德之尊會三乘之衆
永宣靈化弘濟福德顯幽萬類覆被無窮盖自古所未有

也其興造之由已見永樂甲辰　御製之碑龍章鳳篆天本末完具茲謹述　三聖所以嘉厚象教之盛心刻文貞石昭示悠久於戲鍾山巍巍大江洋洋　聖德長存慧化不息億萬萬年與天同壽

藏經護勅

正統十年二月十五日

皇帝聖旨朕體　天地保民之心恭成　皇曾祖考之志刊印大藏經典頒賜天下用廣流傳茲以一藏安置南京大報恩寺永充供養聽所在僧官僧徒看誦讚揚上為國家祝釐下與生民祈福務須敬奉守護不許縱容閑雜之人私借觀玩輕慢褻瀆致有損壞遺失敢有違者必究治

之諭

本寺護勅　成化八年十二月初一日

皇帝勅諭官員軍民諸色人等朕惟佛氏之興其來已遠其教以空寂爲宗以慈悲爲用開導善類覺悟羣迷功德所及無間幽顯者也南京舊有天禧寺我　皇高祖太宗文皇帝重新修建盖造琉璃寶塔改名大報恩寺　皇曾祖仁宗昭皇帝　皇祖宣宗章皇帝相繼完成特撥　賜當江沙洲等處蘆場蘆柴入寺應用及選行童一百名常川燃點塔燈暨朕嗣寶位復加修整所以上報　先朝列聖之恩下爲蒼生祈福今住持僧洪霈奏言本寺歲久被

人作踐攪擾用是特頒勅護持凡官員軍民諸色人等自今以往毋得出入混雜縱肆非爲輕易褻瀆侮慢欺凌及不許侵占原撥蘆塲并贍僧田地園池果木所有常住官降一應器皿經像等件本寺僧官僧人尤須遞相收掌毋致損失敢有不遵朕命沮壞其教者許住持指實奏聞論之以法欽哉故諭

萬曆十四年九月日

續入藏經護勅

皇帝勅諭大報恩寺住持及僧衆人等朕惟佛氏之教具在經典用以化導善類覺悟羣迷于護國佑民不爲無助玆者 聖母慈聖宣文明肅皇太后命工刊印續入藏經

四十一函弁舊刻藏經六百三十七函通行頒布本寺爾等務須莊嚴持誦尊奉珍藏不許諸色人等故行褻玩致有遺失損壞特賜護持以垂永久欽哉故諭

御製聖母印施藏經序　萬曆　年　月　日

朕聞儒術之外釋氏有作以虛無爲宗旨以濟度爲妙用其真詮密微其法派閎演貞觀而後代譯歲增兼總羣言苞裹八極貝葉有所不盡龍藏有所難窮惟茲藏經繕始于永樂庚子梓成于正統庚申凡大乘般若以下計六百三十七函我　聖母慈聖宣文明肅皇太后又益以華嚴懸談以下四十一函而釋典大備夫一心生萬法萬法歸

一心諸佛心印人人具足觀善覺迷諸苦解脫一覺一善皆資勝因是以聞其風者億兆爲之翕習慕其教者賢愚靡不歸依則知刑賞所及權衡制之刑賞所不及善法牖之盖生成之表别有陶冶矣先師素王亦云聖人神道以設教善世而博化諦觀象教詎不信然恭惟　聖母濬發弘願普濟羣倫遂托忠誠誘善勤侍傳宣廣修衆因乃印禪經布施淨土兼立梵宇齋施僧倫成修寶塔立竪於虚空繪塑金容散施於大地濟貧拔苦召赦孤幽無善不作無德不備證三身於此世今生明四智於六通心地普惠雲興普賢瓶瀉大乘玄澤甘露霑洒于三千徧覆慈雲法

雨滋培于百億無徵無鉅咸受益而蒙榮有性有生盡飡穌而飲惠俾福利之田與人同樂仁壽之域舉世咸登如是功德詎可思議且如來果報從無量功德生一切善言之讚歎一切善氣之導凝我　聖母延齡如天永永我國家保泰降福穰穰矣於戲盛哉大覺之教宜其超九流而處尊偕三五以傳遠也

文　長干寺設無礙法喜食詔　廣弘明集

大同四年八月月犯五車老人星見改造長干寺阿育王塔出佛舍利髮爪阿育鐵輪王也王閻浮一天下一日夜役鬼神造八萬四千塔此其一焉乘輿幸長干寺設無礙

法喜食詔曰天地盈虛與時消息萬物不得齊其蠢生二儀不得恒其覆載故勞逸異年懽慘殊日去歲失稔斗粟貴騰民有困窮遂臻斯濫原情察咎或有可矜下車問罪聞諸往誥責歸元首實在朕躬若皆以法繩則自新無路書不云乎與殺不辜寧失不經易曰隨時之義大矣哉今真形舍利復現於世逢希有之事起難遭之想令出阿育王寺設無礙會耆年童齒莫不欣悅如積飢得食如久別見親幽顯歸心遠近馳仰士女霞布冠蓋雲集因時布德允叶人靈凡天下罪無輕重皆赦除之

長干寺衆食碑　陳徐陵

昔炎皇肇訓稷正修官信矣民天之言誠哉國寶之義自非道登正覺安住於大般涅槃行在真空深入於無爲般若則菩薩應化咸同色身諸佛淨土皆爲揣食證常住者爰訖乳糜補尊位者猶假香飯亦有三心未滅七反餘生應會天宮就齋龍海況復繪居地轉咸憩珠庭固以皆種仙禾並資靈粟者矣法師常願以智慧火燒煩惱薪普施衆生同飡甘露況復安居自恣願學高年或次第於王城猶棲遑於貧里迦留乞媻苦用神通須提請飦致貽詞責於是思營衆業願造坊厨廣使應供之僧皆同自然之食升堂濟濟無勞四輩之慮高廩峩峩恒有千食之備其舛

鐵市銅街青樓紫陌辛家黑白之里甲第王侯之門莫不供施相高資儲轉衆法師善巧方便漚和舍羅教授滋生隋年增長假使桑林不雨豁水揚波猶厭稻粱永無飢乏加以五鹽具足七菜芳軟類天厨果同香樹羨閔之大殷王未逢麋鑊之深齋都非擬昆吾在次皆鳴鷲嶺之鐘賜谷初升同洗龍池之鉢

天禧寺新建法堂記　宋李之儀

天禧寺者乃長干道場葬釋迦真身舍利祥符中建塔賜號聖感舍利寶塔至天聖中又賜今額按梁書大同三年高祖改造阿育王塔出舊塔下舍利及爪髮髮青紺色衆

僧以手伸之隨手長短放之則屈爲蠡形始吳時有尼居其地爲小精舍孫綝尋毁除之塔亦同泯吳平後諸道人復於舊處建立焉中宗渡江更修飾之至簡文咸安中使沙門安法師程造小塔未及成而亡弟子僧顯繼而修之至孝武大元九年上金相輪及承露其後西河離石縣有胡人劉薩訶遇疾暴亾而心下猶煖未敢便殯經七日更蘇說云有兩吏見録至十八地獄隨報重輕受諸苦毒見觀世音語云汝緣未盡若得活可作沙門洛下齊城丹陽會稽並有阿育王塔可往禮拜則不復墮地獄因此出家游行禮塔次至丹陽未知塔處乃登越城望見長干里有

異氣色因就禮拜果是阿育王塔所放光明由是定知有舍利乃集衆掘之入一丈得三石碑中一碑有鐵函函中有銀函銀函中有金函盛三舍利及爪髮各一枚長數尺即遷舍利近北對簡文所造塔造一層塔十六年沙門僧尚加爲三層即高祖所開者也

琉璃塔記　明行太僕卿鄞陳沂

南都城之南有大佛宇孫吳時云神僧所居南朝始有寺因地長干曰長干寺趙宋改名天禧寺　國朝永樂初大建之準宮闕規制名大報恩寺故有舍利塔　文皇詔天下盡甄工之能者造五色琉璃備五材百制隨質呈色而

陶埏爲象品第甲乙鉤心鬬角合而甃之爲大浮圖下周廣四十尋重屋九級高百丈外旋八面内繩四方外之門牖實虚其四不施寸木皆埏埴而成連大官後疊玉砌數級上爲五色蓮臺座高權尋丈乃列朱楹八面闢爲四門懸十有六牖於八隅門繞以曼陀優鉢曇花壁刻以天王金剛四部大神具頭目手足異相冠簪纓冑衣帶瑣甲異制戈戟輪鐸罷飾異執種種不類載以獅象承以棼橑井拱翙起光彩璀璨覆以碧瓦鱗次螭頭豹尾交結上下又蔽以鏤檻雕楹青瑣繡闥於外二級至九級不設瑣闥惟楹檻皆朱壁皆黝至榱栱則間以玄朱其花蔓旋繞牖户

懸鐸之制皆如初級焉盡九級之上爲鐵輪盤盤上輪相疊冠數仞冠以黃金寶珠頂維以鐵縴墜以金鈴每級飛欄皆懸鳴鐸明牖以蚌蠣薄葉障之胥出楹外凡百四十有四晝則金碧照耀雲際夜則百四十有四篝燈如火龍自天而降騰熖數十里風鐸相聞數里響振雨夜舍利如火珠數顆次第出入輪相間有聲浮圖之内懸篝百蹬旋轉而上每層布地以金四壁皆方尺小釋像各具諸佛如來因緣凡百種極致精巧眉髮悉具布砌周遍井栱疊起皆青碧穹覆如華蓋列牖設篝燈處若蝸殼宛轉一竅穿出門至絶級亦洞敞首不低縮出欄檻外則心神惶怖不

能久佇四顧羣山大江關阻旁逵無遠不在近觀宮城廨舍陸衢水道民居巷市人物往來動息罔不畢見飛鳥流雲常俯視在下矣

遊報恩寺塔記略　遊牛首山記內摘出　明南刑部尚書王世貞

寺之二山門前後殿周廡久委刼火獨一塔在塔故　文皇下京師纂大寶傾天下之財力爲　高帝及后營福者也其雄麗冠于浮圖金輪聳出雲表與日競麗余劇欲一登之而僧頗尼以不任余乃易便服行縢憑小吏肩而上甫三級則已下視萬雉矣級益高階益峻兩股踸踔者久之強自奮盡九級宮殿樛鬱萬棟櫛歷與平疇相映長江

如白龍蜿蜒而來惟鍾山紫氣與天闕方山不相伏餘無所不靡塔四周鑄四天王金剛護法神中鑄如來像俱用白石精細巧緻若鬼工余摩娑久之

大報恩寺重修藏經殿記　明進士吳郡俞彥

南藏之有鏤板自　高帝始也其度而寘之經堂則　文皇命也蓋自江波湧塔之異　帝有震焉而會天禧浮圖災乃益斥遠其舊而新是圖僅僅留此甌脫篋經而藏之迄今所矣佛法以無量爲劫佛所説經以十二萬九千六百年爲刼而是經板與藏經之室無非材木瓴甋所爲木久而潰[illegible]久而壘則其刼也錢塘葛君昔以儀曹署祠事

補經板之缺釐經役之蠹僧衆便之旣領祠官乃諗諸耆宿維斯經堂可弗謂圮歟僉曰　是可勿亟治歟他屋所覆者金泥像耳兹獨覆經是宜修一　創建之始仰給縣官今勢旣不得請而成毁任之是委　君旣于荆棘瓦礫也是宜修二四方以莊嚴來者若取火于燧挹水于河而靡所托足而瞻禮求多不給謂功令何是宜修三僉曰然于是計歲會罷不急廩庚節縮之苾蒭有麗于法者籍之善男子張應文張文學輩咸愿爲捐助權輿于兩廡經所貯也翼如矣次及殿堂跂如矣而乃及門伉如矣脈稜廉威瓷甃平除塗墍堅緻丹堊煥炳鉼鉢之侶雲水之足北至

于河東至于海西至于衡華又西至于峨眉南至于普陀又南至于閩粤杖錫至止永觀厥成旅舍有次六時有供至則如歸歸不愆期投體頂禮如入秪園貝多之境莊嚴供養如際赤烏白馬之年莫不感嘆悲涕交手而讚曰盛甚至哉厥猷諟乎顯密之因未有選也不佞彥乃拜手稽首爲作頌曰佛成道後舍利可棄其勿棄者甚微妙義或曰故塔或曰真諦斯二邊見亦罔以異渡水棄筏見月廢指未見未渡人實廷女佛說經者人天歡喜億萬鬼神所在衛理於義云何護法者是國王宰官長者居士生護法心一人而已是名億萬是名神鬼來者受持過此頂禮

報恩寺九號藏經併藏殿碑記

明南祠部郎錢塘葛寅亮

昔佛祖演化立教謂能誦讀受持即成無上希有法一經詆毀墮入無間抑何主入奴出拘而多畏若是哉微獨世法之士交口相譏古靈禪師亦復道之因蜂子投窓爲其師徵曰世界如許濶不肯出鑽故紙驢年出得蓋金篦刮肩黄葉止啼世有明眼人三藏十二部悉故紙矣讀　御製集又可異焉　聖祖之言曰佛之有經猶國著令佛有戒如國有律皆導人未犯之先化人不萌其惡所以古云天下無二道聖人無兩心名雖異理則一夫出世而詆爲

故紙入世而視若王章出世入世吾烏乎知其辨 聖祖甫戡世亂即究性宗特以藏經授副墨貯之報恩用廣流布 成祖復刻於燕厥有南北藏北藏非請 旨不可而南藏轄之祠部朝以牒出夕以楮入玄奘之侶翕然南其錫貯經有室贍僧有堂請經有修藏之䞋 例也顧經僧重繭遠來匠氏安坐網利昂其直以要之紓其期以困之視衣鉢而罄然望雲山其何日無告之雹愴然興懷檢朝石郭君藏規之議嘆昔人之先得我心矣因為理其緒而加密程材準度計工準期以勝劣編叅等等各三號按冊瞭然狡偽不得復作其欺於北者四十一函即以請藏所

入贍續藏所出需之數年計可具足則皆予壬寅攝篆時覩始者也今茲復至殺青竟且十有四函矣胥宇而貝葉塵凝龍藏將壓雲水之錫舍於市人撤其舊而新是圖前後殿凡八楹左右貯經廡四十二楹請經室之麗於禪院六楹藏簡各登其座座各有號而籤分架列於廊廡者燦然可按指索也工費倚之經嚫益之檀施寺租既告成則復尋剞劂之役且以飯禪衲以館穀夫經僧而諸務犁然具焉流傳法寶爛焉編帙俾之誦讀受持而證無上希有者出世法也剪浮淫梳敝垢遠至如歸而不敢以無告爲可虐者世法也莊嚴楮墨在彼爲法塵緣影而於出世法

非有加脩舉廢墮在此爲職業常分而於世法非有貶至於出世入世是同是別則　王言具在又非予小子能知矣　萬曆叁拾伍年正月望日

濠上亭記

明南祠部郎錢塘葛寅亮

夫牽一髮而頭爲之動拔一毛而身爲之變毛髮之於吾身微矣而痛癢輒關何者血氣所榮衛故也凡有血氣獨異是哉蘇子瞻平生嗜蠏蛤因禁獄後遂一切斷殺其詩有魂飛湯火命如雞之句最爲悽切迺古聖人莫之禁者自茹毛飲血既開其端貪饕欲食適投其嗜相習成風恬不爲怪聖人知必不能奪舉世之共趨而強以所不樂故

寧因時制禮與物推移獵較猶可自是權教而不虞爲恣情口腹者之嚆矢也夫儒者天地萬物爲一體推巳及物爲恕施蚑蚋嗜膚猶自動色腥肥膏腹不思傷生於心忍乎哉此第謂人生嗜欲在是而試想萬物當前見夫魚遊鳥翔飛躍得所必暢然而快心見夫呼號挺刃宛轉刀几必憯然蹙頞而不欲其聞且見於吾側則好生固自本性所欲食者第此三寸饞唇其將取憑於口腹乎抑取憑於性乎嗚呼成湯開三面之網尼父禁絶流之漁孟孫以縱麑徵仁子輿以易牛許王聖賢用意未始不耿耿見其一班而放生之說後世所由昉也報恩寺內舊有放生池建

自　成祖是即成湯解網意云爾日久事湮没於中貴近始檄還而中貴亦慨然無難色因爲建亭臨之題曰濠上志魚樂也夫魚樂亦即我樂彼方困於涸轍相呴以濕相濡以沫騈首待烹忽焉而投之清冷鼓鬣揚鬐揺深舞潤悠悠洋洋入吾几案覺鳥獸禽魚自來親人會心處端不遠矣

濠上亭鑴壁併序

放生之事世多歸之釋氏不知釣不綱弋不宿見死聞聲不忍食自孔孟已然自後格言善行簡不勝書苐如元龜見夢說近渺茫黄雀啣環事嫌果報雖或有徵端士不道

亭既落成隨取心存怛物言觸痛腸者一十九條鐫之壁登斯亭者繹至言於佩韋挹生趣於臨流俯仰之間將毋愴然而興感

湯出見人張網四面而祝之曰從天墜者從地出者從四方來者皆罹吾網湯曰噫盡之矣乃解其三面止置一面更祝曰欲左者左欲右者右欲高者高欲下者下不用命者乃入吾網

齊田氏祖於庭食客千人中坐有獻魚鴈者田氏視之乃嘆曰天之於民厚矣殖五穀生魚鳥以爲之用衆客和之如響鮑氏之子預於次進曰不如君言天地萬物與我並

生類也類無貴賤徒以小大智力而相制迭相食非相爲而生之人取可食者而食之豈天本爲人生之且蚊蚋噆膚虎狼食肉非天本爲蚊蚋生人虎狼生肉者哉

孟孫得麑使秦西巴持歸其母隨而鳴秦西巴不忍縱而與之孟孫怒而逐秦西巴居一年召以爲太子傅左右曰夫秦西巴有罪於君今以爲太子傅何也孟孫曰夫以一麑而不忍又將能忍吾子乎

田子方出見老馬於道問其御者曰公家畜也罷而不能用故放出之子方曰少盡其力老棄其身仁者不爲也束帛而贖之

鄧艾征涪陵見一狖抱子在樹引弩中之其子爲拔箭捲樹葉塞之艾歎曰吾違物性其將死矣

桓宣武入蜀至三峽部伍中有得猨子者其母緣岸哀號行百餘里不去遂跳上船便卽絶破視其腹中腸寸寸斷公聞之怒命黜其人

何尚書胤侈於食味後稍去其甚猶食魚脯糟蟹鍾岏曰䱇魚就脯驟見屈伸蟹之將糟躁擾彌甚仁人用意所宜深懷此怛

何胤仕齊爲建安太守每伏臘放囚還家依期而返嘗與門人議疏食門人曰變之大者無如死生死生所重無踰

性命性命之於彼極切滋味之於我可賒如云一往一來
生死常事則傷心之慘行亦自及衞之末年遂絕血味
顔魯公任昇州刺史左驍衛郎將史元琮奉宣恩命於天
下州縣臨江帶郭處各置放生池昇州秦淮太平橋凡八
十一所公謂恩沾動植澤及昆蟲因撰述天下放生池碑
銘絹寫一本附史元琮奉進兼乞御書題額以揚不朽肅
宗批荅朕以中孚及物亭育爲心凡在覆載之中畢登仁
壽之域四靈是畜一氣同知江漢爲池魚鱉咸若卿愼徽
盛典潤色大猷能以懿文用刋樂石體含飛動韻合鏗鏘
成不朽之立言紀好生之上德唱而必和自古有之情發

於中予嘉乃意所請者依

唐永徽以來文單國屢獻馴象凡三十二皆畜苑中頗有善舞者德宗即位以爲物性不遂悉放於荆山之陽

劉禹錫嘆牛文曰劉子行其野有叟牽牛於蹊偶問焉對曰我僦車而自給嘗驅是牛引千鈞雖涉淖躋高轂如蓬而輸不潰及今廢矣顧其足雖傷而膚尚腯以畜豢之則無用以庖視之則有羸是徃也將要售於宰夫余謂之曰以叟言之則利以予言之則悲余方窶且無長物願解裘以贖將置諸豐草之鄉可乎

宋仁宗一日對群臣曰朕夜來飢甚思食蒸羊群臣曰陛

下何不宣付有司帝曰朕乃偶飢思爾慮爲常例寧忍一時之饑不忍啓無窮之殺

宋哲宗在宫盥而避蟻程頤講書畢請曰有是乎上曰然誠恐傷之耳頤曰推此心以及四海帝王要道也

曹武惠王彬所居堂壁壞子弟請加修葺彬曰大冬蟲蟄墻壁瓦石間不可傷其生

程明道主上元簿始至邑見人持竿道傍以黏飛鳥取其竿折之教之使弗爲及罷官艤舟郊外聞數人共語自主簿折黏竿鄉民子弟不敢畜禽鳥

程伊川養魚記曰書齋之前有石盆池家人買魚子食猫

見其呴沫也不忍因擇可生者得百餘養其中大者如指細者如箸支順而觀之者竟日魚乎魚乎細釣密網吾不得禁之於彼炮燔咀嚼吾得免爾於此吾知江海之大足使爾遂其性思置汝於彼而未得其路徒能以斗斛之水生汝之命生汝誠吾心汝得生已多萬類天地中吾心將奈何魚乎魚乎感吾心之戚戚者豈止魚而已乎

蘇東坡云余少不喜殺生未斷也近年始不食豬羊然性嗜蟹蛤故不免殺自去年得罪下獄始意不免既而得脫遂自此不復殺一物有餉蟹蛤者皆放之江雖無活理然猶庶幾萬一便使不活猶愈烹煎也非有所求覬但已親

經患難不異雞鴨之在庖厨不復以口腹故使有生之類
受無量怖苦爾
黄魯直謂子瞻曰鳥之將死其鳴也哀某適到市橋見生
鵞繫足在地鳴叫不已得非哀祈於我耶子瞻曰某昨日
買十鳩中有四活即放之餘者作一杯羹今日吾家常膳
買魚數斤以水養之活者放而救渠命殪者烹而悦吾口
雖腥羶之慾未能盡斷且一時從權爾魯直曰吾兄從權
之説善哉因作頌曰我肉衆生肉名殊體不殊元同一種
性只是别形軀苦惱從他受肥甘爲我須莫教閻老判自
揣看何如子瞻聞斯語愀然歎息

眞西山云不殺生者所以存仁愛也夫禽獸旁生性命同稟有夫婦之配有父子之情有巢穴之居有飲食之念愛憎喜懼何異於人能懷惻隱之心不忍殺戮不亦善乎或心雖仁民愛物而迹廼混俗衆中有所未便則不起意殺不下手殺不眼見殺是則飲食隨緣又何殺生之有且聖賢於肉食固未嘗必其有無而愛之及物亦何常間乎彼此如網解三面迹遠庖厨釣而不網弋不射宿啓蟄不殺方長不折德惠之普人蟲草木一視同仁則慈惠以及昆蟲豈虛言哉

傳　康僧會傳畧　高僧傳

康僧會其先康居人世居天竺其父因商賈移于交阯會年十餘歲出家厲行甚峻時孫權已制江左而佛教未行乃杖錫東遊以吳赤烏十年初達建業營立茅茨設像行道時吳國以初見沙門覩形未及其道疑爲矯異有司奏曰有胡人入境自稱沙門容服非恒事應檢察權曰昔漢明夢神號稱爲佛彼之所事豈其遺風耶即召會詰問有何靈驗會曰如來遷迹忽逾千載遺骨舍利神曜無方昔阿育王起塔乃八萬四千夫塔寺之興以表遺化也權以爲誇誕乃謂會曰若能得舍利當爲造塔如其虛妄國有常刑會請期七日乃謂其屬曰法之興廢在此一舉今不

至誠後將何及乃共潔齋靖室以銅瓶加几燒香禮請七日期畢寂然無應求申二七亦復如之權曰此欺誑將欲加罪會更請三七權又特聽會謂法屬曰宣尼有言文王既沒文不在茲乎法靈應降而吾等無感何假王憲當以誓死爲期耳三七日暮猶無所見莫不震懼既入五更忽聞瓶中鏗然有聲會自往視果獲舍利明旦呈權舉朝集觀五色光炎照曜瓶上權自手執瓶瀉于銅盤舍利所衝盤即破碎權大肅然驚起而曰希有之瑞也會進而言曰舍利威神豈直光相而已乃刼燒之火不能焚金剛之杵不能碎權命令試之會更誓曰法雲方被蒼生仰澤願更

舍[illegible]遂以廣示威靈乃置舍利於鐵砧砧上使力者擊之於是砧磓俱陷舍利無損權大嗟服即為建塔以始有佛寺故號建初寺因名其地為佛陀里由是江左大法遂興至孫皓即位法令苛虐廢棄淫祠乃及佛寺並欲毀壞皓曰此由何而興若其義教真正與聖典相應者當存奉其道如其無實皆悉焚之諸臣僉曰佛之威力不同餘神康會感瑞大皇創寺今若輕毀恐貽後悔皓遣張昱詣寺詰會昱雅有才辯難問縱橫會應機騁辭文理鋒出自旦之夕昱不能屈既退會送于門時寺側有淫祀者昱曰玄化既孚此輩何故近而不革會曰雷霆破山聾者不聞非音

之細苟在理通則萬里懸應如其阻塞則肝膽楚越昱還歎會才明非臣所測願天鑒察之皓大集朝賢以馬車迎會會既坐皓問曰佛教所明善惡報應何者是耶會對曰夫明主以孝慈訓世則赤烏翔而老人星見仁德育物則醴泉湧而嘉苗出善既有瑞惡亦如之故爲惡於隱鬼得而誅之爲惡于顯人得而誅之易稱積善餘慶詩詠求福不回雖儒典之格言卽佛教之明訓皓曰若然則周孔已明何用佛教會曰周孔所言略示近迹至于釋教則備極幽微故行惡則有地獄長苦修善則有天宫永樂舉兹以明勸沮不亦大哉皓當時無以折其言皓雖聞正法而昏

暴之性不勝其虐後使宿衛兵入後宮治園於地中得一立金像高數尺呈皓皓使著不淨處以穢汁灌之共諸羣臣笑以爲樂俄爾之間舉身大腫陰處尤痛叫呼徹天太史占言犯大神所爲即祈祀諸廟永不差愈采女先有奉法者因問訊云陛下就佛寺中求福不皓舉頭問曰佛神大耶采女云佛爲大神皓心遂悟其語意故采女即迎像置殿上香湯洗數十過燒香懺悔皓叩頭于枕自陳罪狀有頃痛間遣使至寺問訊道人請會說法會即隨入皓見問罪福之由會爲敷析辭甚精要皓先有才解欣然大悅因求看沙門戒會以戒文禁秘不可輕宣乃取本業百三

十五願分作二百五十事行住坐臥皆願衆生晧見慈願廣普益增善意卽就會受五戒旬日疾瘳乃於會所住處更加修飾宣示宗室莫不心奉會在吳朝亟說正法以晧性凶麄不及妙義唯叙報應近事以開其心會於建初寺譯出衆經所謂阿難念彌陀經鏡面王察微王梵皇經等又出小品及六度集雜譬喻等並妙得經體文義允正又傳泥洹唄聲淸靡哀亮一代模式又注安般守意法鏡道樹等三經幷製經序辭趣雅便義旨微密並見於世至吳天紀四年四月晧降晉九月會遘疾而終是歲晉武太康元年也至晉咸和中蘇峻作亂焚會所建塔司空何充復

更修造平西將軍趙誘世不奉法傲慢三寶恣入此寺謂諸道人曰久聞此塔屢放光明虛誕不經所未能信若必自覩所不論耳言竟塔即出五色光照耀堂剎誘肅然毛竪由此信敬於寺東更立小塔遠由大聖神感近亦康會之力故圖寫厥像傳之于今孫綽為之贊曰會公蕭瑟寔惟令質心無近累情有餘逸厲此幽夜振彼尨黜超然遠詣卓矣高出

竺慧達傳略　高僧傳

竺慧達即劉薩阿幷州西河離石人少好畋獵年三十一忽如暫死經日還蘇備見地獄苦報見一道人云是其前

世師爲其說法訓誨令出家往丹陽會稽吳郡覔阿育王塔像禮拜悔過以懺先罪既醒卽出家學道改名慧達精勤福業唯以禮懺爲先晉寧康中至京師先是簡文皇帝於長干寺造三層塔達上越城顧望見此刹杪獨有異色便往拜敬晨夕懇到夜見刹下時有光出乃告人共掘掘入丈許得三石碑中央碑覆中有一鐵函函中又有銀函銀函裏金函金函裏有三舍利又有一爪甲及一髮髮伸長數尺卷則成螺光色炫燿道俗歎異乃於舊塔之西更竪一刹施安舍利晉太元十六年孝武更加爲三層達東西覲禮屢表徵驗精誠篤勵終年無改後不知所之

竺法曠傳略　高僧傳

竺法曠下邳人寓居吳興早失二親事後母以孝聞家貧無蓄常躬耕壠畔以供色養及母亡出家事沙門竺曇印爲師迄受具戒棲風立操卓爾殊羣印嘗疾病危篤曠乃七日七夜祈誠禮懺至第七日忽見五色光明照印房戶印如覺有人以手振之所苦遂愈後辭師遠遊廣尋經要還止於潛青山石室每以法華爲會三之旨無量壽爲淨土之因常吟咏二部有衆則講獨處則誦謝安爲吳興守故往展敬而山棲幽阻車不通轍於是解駕山椒陵峰步往晉簡文皇帝遣堂邑太守曲安遠詔問起居并諮以妖

星請曠爲力曠荅詔曰昔宋景修福妖星移次陛下光輔
巳來政刑允輯天下任重萬機事般失之毫氂差以千里
唯當勤修德政以塞天譴貧道必當盡誠上荅正恐有心
無力耳乃與弟子齋𢤱有頃災滅晉興寧中東遊禹穴觀
矚山水始投若耶之孤潭欲依巖傍嶺棲閑養志郄超謝
慶緒並結交塵外時東土多遇疫疾曠旣少習慈悲兼善
神咒遂遊行村里拯救危急乃出邑止昌原寺百姓疾者
多祈之致効時沙門竺道隣造無量壽像曠乃率其有緣
起立大殿晉孝武帝欽承風聞要請出京事以師禮止于
長干寺元興元年卒散騎常侍顧愷之爲作讃傳云

建初寺瓊法師碑　　陳尚書令江總

碑曰夫智慧精進皆曰第一妙德淨名並稱不二若乃斡五欲之泥解六情之網御槃寶車之跡面香城之路荷持像法汲引人倫惟此法師心力備矣東山北山之部貫花散花之句並編椰成簡題蒲就業學非全朔無待冬書師夢尹儒自知秋駕銘曰肩肩人世茲茲大千欲流心火意樹身田老鷲靈籥孔惜逝川三空莫辯二諦何詮佛日初照慈雲不偏秋露寂滅莫繫悠然

釋明徹傳略　　高僧傳

釋明徹務學功不棄日嘗與同學數輩住師後房房本朽

故忽遭飄風吹屋欹斜欲倒衆皆走徹習業如故會稽孔廣聞之歎曰孺子風素殊佳當成名器齊永明十年竟陵王請沙門僧祐三吳講律中塗相遇徹因從祐受學十誦隨出楊都住建初寺自謂律爲繩墨憲章儀體仍徧研四部校其興廢當時律辨莫有能折齊太傅蕭頴胄深相欽屬及領荆州携遊七澤請於内第開講淨名天監初始返都邑武帝欽待不次長召進内殿家僧資給歲序無爽帝欲撮聚律要末年勅入華林園專功抄撰每侍御筵對揚輿密皇儲賞接特加恒禮故使二宫周供寒暑優洽鳩聚將成忽遘沉疾移還本寺皇心載軫臨没表曰因果深明

倚伏寄逭明徹雖復愚短忝窺至籍將謝之間豈復遺落
但知恩知慶輒欲言之徹本東荒賤民微有善識得厠釋
門弆潤少年綢繆玄覺雖未能體道微得善性運來不輟
遇會昌時遂親奉御筵提携法席且仁且訓備沐恩獎恒
願舒展丹誠奉揚慈化豈意報窮便歸塵土仰戀聖世何
可與言特願陛下永劫永住益蔭無涯具足莊嚴道場訓
物天番海外同爲淨土勝果遐流雍容遠集明徹以奉值
之慶論道之善脫億代還生猶冀奉覲惟生惟死俱希濟
拔臨盡之間忽忽如夢雖欲申心心何肯盡不勝悲哀之
誠謹遣表以聞勅荅省疏增其憂耿人誰不病何以遽終

法師至性堅明道行純備往來淨土去留安養方除四魔理無五畏唯應正念諸佛不捨大願與般若相應直至種智發菩提心彼我相攝方結來緣敬如所及菩薩行業非十百年善思至理勿起亂想覽筆悽滄不復多云帝因就寺爲設三百僧會令徹懺悔自運神筆製懺願文事竟遂卒時普通三年十二月七日也

釋僧祐傳略

高僧傳

釋僧祐其先彭城下邳人父世居于建業祐年數歲入建初寺禮拜因踊躍樂道不肯還家師事僧範道人年十四家人密爲訪婚祐知而避至定林投法達法師達亦戒德

精嚴爲法門梁棟祐竭思鑽求無懈昏曉遂大精律部有邁先哲永明中勅入吳試簡五衆并宣講十誦更伸受戒之法凡獲信施悉以治定林建初及修繕諸寺祐爲性巧思能自准心計及匠人依標尺寸無爽故光宅嶓山大像剡縣石佛等並請祐經始准畫儀則今上深相禮遇凡僧事碩疑皆勅就審決以天監十七年五月二十六日卒于建初寺東莞劉勰製文初祐集經藏既成使人抄撰要事爲三藏記法苑記世界記釋迦譜及弘明集等皆行于世

南洲洽法師誌略

明大學士楊士奇

洪熙元年八月十八日　上御便殿召右善世溥洽入見

慰勞甚至遂奏乞還南京大報恩寺以終老從之　賜佛像經鈔若干緡給驛舟命中官護送旣至明年爲宣德元年七月二十有八日微疾留偈云清淨自在中還得如是住一切大安樂淸淨自在住遂化師諱溥洽字南洲世居會稽之山陰于郡之普濟寺受具戒　太祖皇帝聞其賢召爲僧錄司右講經玉音褒諭有逼東魯之書博西來之意之語蓋知之爲深居長干西丈室三年命兼主天禧四方學者歸嚮益盛接踵戶外又三年陞右闡敎遂陞左善世　太宗皇帝舉義師道衍公有輔翼居守功　上卽位召衍至自北京命主敎事師以左善世遜衍而已居右

上嘉從之永樂四年詔修天禧寺浮圖落成之日　車駕
臨幸命師慶賛祈光燁熤萬衆聚觀　天顔愉懌時有忌
覺義者忌師之寵搆詞間之左遷右覺義疏斥師不辯自
處裕如既而　上察其心復右善世　仁宗皇帝臨御以
老宿數被召問禮遇特厚命居慶壽寺松陰精舍以自佚
而　賜賚屢加有日供畦蔬者一日師勞之曰勤爾久矣
吏用盡七月至是果驗師所著有金剛經註解附錄二卷
應制及與名人倡和詩若干卷　國家建法會一切科儀
文字皆師定以貽範於後　又近記　溥洽洪武初薦高
僧入京歷陞左善世靖難兵起金川門開爲建文君削髪

金陵梵刹志　卷三十一　報恩寺　三十一　三十四

長陵卽位徵聞其事因南洲十餘年榮國公疾革　長陵遣人問所欲言願釋溥洽　長陵從之釋其獄時白髮長數寸覆額矣

永隆禪師誌畧因用遺香祈雨本寺附此　明太子少師吳郡姚廣孝

師諱永隆姑蘇施氏子在襁褓卽不茹葷血逾冠出家尹山崇福寺洪武甲子試經給祠部度牒受具戒二十五年壬申朝廷度僧師引其徒赴京師試經請給度牒時沙彌三千餘人其中多有不能記經欲冐請者于是　上怒遣錦衣衛皆籍爲軍師慈憫無可捄二月二十四日詣奉天門奏聞欲焚身以求免　上允二十五日　勅内臣以武

士嚴衛其龕至雨花臺師出龕望闕拜辭入龕索楮書偈曰三十三年一幻身洞然性火見全真大明佛法興隆日永祝皇圖億萬春又取香一瓣書風調雨順四字語内臣曰煩奏 上遇旱以此香蘄雨必驗須臾秉炬自焚烟燄凌空異香撲人羣鶴飛翔于龕頂良久火餘斂舍利無筭二十七日 上以三千餘人悉宥罪給與度牒時大旱上召僧錄司官迎師所遺之香到天禧寺率衆祈雨以三日爲期至夜即降大雨 上喜而謂羣臣曰此眞永隆雨於是 御製落魄僧詩以彰之

詩 遊長干寺 宋王安石

梵館清閑側布金小唐回曲翠文深柳條不動千絲直荷葉相依萬蓋陰漠漠岑雲相上下翩翩沙鳥自浮沉羈人樂此忘歸志忍向西風學越吟

長干釋普濟坐化　宋王安石

投老唯公最故人相尋長恨隔城闉百年俯仰隨薪盡晝手空傳淨戒身

詠天禧寺竹　宋蘇頌

萬箇碧琅玕兩傍蔭潭沼叢深蔽巖麓幹直露雲表剎影下交加山房上環繞昔曾止鳴鳳今肯棲凡鳥笋抽龍種瘦籜墜孫枝小美勝會稽箭珍逾汶陽篠免園名非奇渭

川比終少樵删草根變客玩茶煙燎剏亭僧意高諭佛禪心了吾愛有霜竹一到忘昏曉

三藏塔　宋蘇頌

凡刼半依山經營昔甚艱周遭嚴佛宇直上俯天關登陟緣梯險淹留布坐慳椽楹亦塗附櫺檻遍朱殷白日分明到青雲咫尺攀龍潭斜影落鳥翼怯飛還基趾從吳晉聲多動朔蠻燈然時照耀梵唱每循環往事稠重問前朝指顧間誰知息心處香火老僧閑

遊報恩寺　明李東陽

古磴穿雲到石窓樓臺四面隱旌幢北臨廣路斜通郭西

隔平原俯見江萬里乾坤蹤跡罕百年風雨鬢毛雙向來
作賦軀全瘦獨有凌雲意未降

報恩寺塔歌

明王世貞

壯哉窣堵波直上三百尺金輪撐高空欲鬭曉日赤浮雲
過不度穿泉下無極鍾山頡頏一片紫餘嶺參差萬重碧
高帝定鼎東南垂　文孫憯啓　燕王師燕師百萬斬關
入廟社不改天樞移六軍大酺萬姓悲欲向罔極酬恩私
阿育王家佛舍利散入支那有深意中夜牟尼吐光怪清
晝琉璃映纖碎　帝令攝之寘塔中寶瓶嚴供蜀錦蒙諸
天悉憑龍象擁千佛趺坐蓮花同匠師琢石細於縷自云

得法忉利宫亦知秋毫尽民力谬谓斤斧皆神工波旬气
雄佛缘尽绀宇雕阑销一瞬乌匆额烂走不得韦猷心折
甘同烬海东贾客莫浪传此塔至今犹岿然老僧尚诗护
法力永宁同泰能几年

毗盧閣基
法堂
禪堂基
輪藏殿基

能仁寺右景

能仁寺左景
寺多荒圮殊失
舊觀因在大寺
列故亦用圖
永福寺
天界寺門
劉希賢刻

公学
庫司基
大佛殿
觀音
殿基
天王殿
水
水
大能仁寺

金陵梵剎志卷三十二

次大剎 天竺山能仁寺 古剎 勅建

在都城外南城地東去所統報恩寺二里聚寶門二里舊在古城西門劉宋元嘉中文帝建名能仁寺唐會昌中廢楊吳太和中改報先院南唐昇元中改興慈院開寶中又廢太平興國間更建改承天寺宋政和中改能仁禪寺建炎中兵燹慶元間重修又縣志謂能仁寺即昇元寺舊址 國初寺災洪武戊辰改建今地嘉靖初復災萬曆間重修山門金剛殿暨大雄殿亦增丹彩然終不能復初制 賜有洲田歲贍如舊所領小剎曰華

嚴寺外鷲峰寺圓通菴

【殿堂】山門伍楹 天王殿伍楹 正佛殿伍楹 法堂柒楹即方丈 左伽藍殿叁楹即公學 僧院貳拾肆房 禪院在法堂左止存基址 基址壹百伍拾畝 東至安德街 南至本寺園埂 西至琉璃窰 北至永福寺

【公產】梅子洲丈過實在田地塘共捌百壹畝柒分 鱭魚洲丈過實在地壹千貳百捌拾叁畝叁分叁厘

【人物】唐玄寂 高駢之族子，受業昇元寺，性穎悟，博通經藏。保大中詔講法華經，授左街僧錄、內供奉講經論明教大師，賜紫。後主召入問華嚴經，玄寂口疏梵行品，齋金幣甚厚，即以送酒家狂飲大醉，十數小兒隨之。玄寂且行且歌曰：酒秃何榮何辱，但見衣冠成古丘，不見江河變陵谷。與羣兒互相應和，旁若無人，竟落職，出居長干寺。常與狂生耤地酣飲，醉死于石子岡。

【明】無隱 有誌略

〔文〕能仁寺緣起錄 集宋游九言佛殿記及戚氏志 元金陵志

劉宋元嘉六年文帝爲高祖建名能仁會昌中廢吳太和六年毘陵郡公徐景運爲其親重建曰報先院南唐昇元中改爲興慈院至開寶中又廢後有里人捨宅復爲興慈院太平興國三年邦人以院地卑濕徙置於此以乾明節日建院額後改爲承天寺政和中又改今額景定志能仁禪寺在南廂嘉瑞坊慶元間游九言佛殿記寺南接秦淮數百步其地古青溪之濆也自宋始建至南唐改興慈無鐫識可攷獨據圖經所載然五代唐愍帝應順甲午爲吳大和逆數會昌乙丑蓋巳九十年既曰廢矣中間誰所繼

續院之老僧僅能記本朝之言院故在西門雙廟之東至道中有圓覺律師德明者際遇太宗召見賜御容及羅漢像以歸咸平間重賜院基田產更律院爲禪寺寵以詩章寺復顯至崇寧賜名承天政和七年改能仁今之寺基咸平所賜而遷也又曰圖志謂寺常廢於開寶中繼有捨宅爲寺者邦人復以卑濕徙今地不知何據觀咸平制書則老僧相傳當爲可信建炎三年室宇暨朝廷所賜復燬猶頼制書無恙以詔復自是草創數十年無據起者淳熙丁酉余客金陵偶至寺殘僧蕭然敗壁風雨莫蔽門臨街喧俾過者陋焉適主僧允徵初嗣法席布衣芒屩徒步通衢

略無外飾氣貌淳㚐語言靜止心固重其爲人後十八年余來爲師屬則大門易東嚮堂廡壁甃盡撤其舊僧徒彬彬而微則老矣然其布衣芒屩如故戶庭雖華而居室甚陋齋庖潔豐而自食至菲金陵城中鉅刹同時主者出有澤車衣有纖縞而臺殿欹斜藉口檀施莫不顧恤微頽然自勵曾無緼袍衣狢之慙慶元丁巳鼎建大殿微言曰能仁非他方比國朝忌日府臺率屬文武駿奔灶薌冠盖塡溢今老釋之宮咸曰焚修爲國也而廢頽若是何所掌乎願記其事所錄院始末毋若向之失傳戚氏云今寺南唐古寺基保大年中昇州特進守司徒致仕鍾山李建勲捨

田一千七百畝入寺後廢宋朝撥賜地基起興慈院咸平初建勅女潤州本起寺住持臨壇精律大德尼進輝申明乞以故父李相公舊所施田入興慈寺至今供常住咸平後改承天寺崇寧間又改承天爲能仁寺真宗賜昇州法主圓覺大師賜紫德明詩曰精勤演律達真風釋子南禪道少同與旨筌蹄悟佛理慧燈廣布九圍中真續令藏寺中仍至元之五年住持僧真實既新其寺又作鍾山公祠以寺之七田多公所施也臨川危素請記於集賢揭公徯斯略云五代之際君不君臣不臣可謂天下大亂之時而公所與百僚友者有若馮延巳其人史雖稱公有吏才薰

猶不相雜氷炭不相入豈能行其所志哉宜乎引身山水之間謝病不出死而囑其家人以薄葬公命之卮於天勢之卮於人有可悲者矣建勳事見年表

傳

西天佛子大國師誌略　明大學士楊榮

大國師名智光字無隱山東武定州慶雲人歲甲寅奉太祖高皇帝命於鍾山譯其師板的達四衆弟子菩薩戒詞簡理明衆所推服甲子春與其徒惠便等奉使西域過獨木繩橋至尼巴辣梵天竺國宣傳聖化衆皆感慕已而謁麻曷菩提上師傳金剛鬘壇場四十二會禮地湧寶塔其國起敬以爲非常人遂併西番烏思藏諸國相隨入貢

比還再往復率其衆來朝　太宗文皇帝嘉念其往返勞
勤復與論三藏之說領會深奥大悦之乙酉擢僧録司右
闡教　仁宗昭皇帝嗣位寵錫封號　賜金印冠服復
賜孔雀銷金傘蓋旛幢及銀鍍金携鑪盆罐供器法樂几
案坐床輿馬諸物悉備仍廣能仁寺居之今　上皇帝即
位之初加封西天佛子師於經藏之藴旁達深探所譯顯
密經義及所傳心經八支了義真實名經仁王護國經大
白傘盖經並行于世宣德十年六月十三日示寂其徒請
留偈示衆荅曰大乘法門無法可說衆復懇請揚言云空
空大覺中永斷去來蹤實體全無相含虛寂照同既儼然

而化訃聞　上悼歎之遣官　賜祭至荼毘法炬甫至薪下其龕頂智火迸出烟焰五色光明照灼既畢遺骨皆金色得舍利盈掬瑩潔如珠進其遺像　上親製贊詞書之曰託生東齊習法西竺立志堅剛秉戒專篤行熟毘尼悟徹般若澄明自然恬澹瀟洒事我祖宗越歷四朝使車萬里有勩有勞攄瀝精虔敷陳秘妙玉音褒揚日星垂耀壽康圓寂智炳幾先雲消曠海月皎中天

小刹華嚴寺古蹟　勅賜

在負郭小安德門外南城地北去聚寶門五里所領能仁寺三里寺係古蹟久廢永樂間釋佛妙建塔院奏

賜如額其殿宇多頹寺僧俱以栽花植果而爲佛事

〔殿堂〕山門壹座金剛殿叁楹左觀音殿叁楹天王殿叁楹佛殿伍楹左伽藍殿叁楹僧院柒房基址貳拾畝東至外城墻南至外鷲峰寺墻西至關河北至古釣魚臺

〔文〕

華嚴寺碑略　明禮部尚書毘陵胡濙

京城安德門外華嚴禪寺乃碧峰禪寺住持佛妙建塔之所佛妙雲南昆明縣人出家于太華寺洪武十六年赴京朝　太祖高皇帝　賜鉢盂錫杖僧衣道具并　賜勅諭俾遊兩浙名山十八年回京特　旨送天界寺永樂十六年奉　太宗文皇帝旨住持碧峰寺十九年訪尋江

寧縣安德鄉有古跡華嚴禪寺年深廢弛遂傾巳稟弃化衆緣盖造佛殿廊廡石塔宣德四年十二月十五日沐浴更衣書偈云去年七十九今年滿八十萬里爲槃方世緣今巳畢擲筆端坐而逝其徒葬入前所自造石塔内正統三年僧果開奏乞額名奉　聖旨還與他做華嚴寺十一年住持祖祥等復恢廓其規制而一新之又於殿左右創建菩薩殿閣二所藻繪塗墍侈於前矣　正統十二年丁卯正月

小刹外鷲峰寺　敕賜

在負郭小安德門外南城地北去聚寶門五里所領能

仁寺三里宣德間爲善世鷲峰禪師塔院 上遣祭因以題寺今殿宇多圮

殿堂 佛殿叄楹 方丈伍楹 僧院壹房 基址陸畝 東至華嚴寺墻 南至李家民山 西至楊家墳 北至本寺田

公產 地山塘共壹拾壹畝伍分伍厘

小刹 圓通菴

在都城外安德街南城地北去所領能仁寺一里聚寶門三里

殿堂 伽藍殿叄楹 佛殿叄楹 僧院壹房 基址壹畝 東至官街 南至官街 西至内嚴地 北至官走路

倉　北至醬蓬營

小剎　留守正定菴

在都城内留守右衛中城地　去所領尼官寺　里

殿堂　伽藍殿叄楹　地藏殿叄楹　觀音殿叄楹　僧院壹房　基址伍畝

東至水塘　西至汪相房

南至官街　北至尹鑾地

淨業堂
涅槃堂
引佛樓
華嚴樓
禪堂
十方堂
十方堂
齋堂
羅漢殿
祖師殿
正佛殿
缽盂山

弘覺右
施花澗
象山
獅子山

弘覺寺左景
錫丈泉
佛脚泉
觀音岩
兜率岩
憑虛閣
龍王泉
大官路
凌大德畫

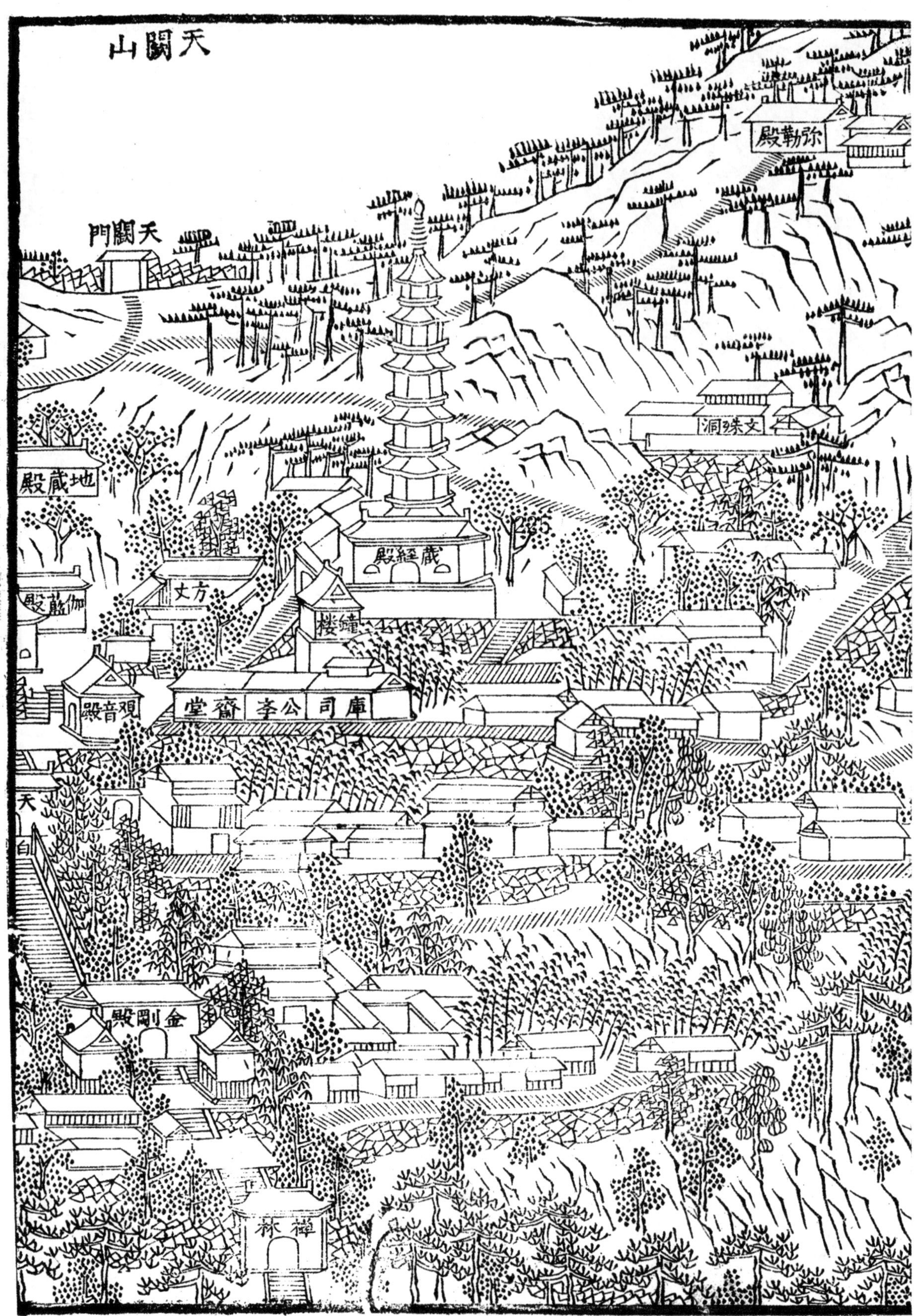
天闕山
天闕門
弥勒殿
文殊洞
地藏殿
藏經殿
方丈
伽藍殿
鐘楼
觀音殿
庫司
公寮
齋堂
金剛殿
禪林

金陵梵刹志卷三十三

次大刹 牛首山弘覺寺 古刹 勑賜

在都城外去聚寶門三十五里所統報恩寺三十三里南城建業鄉牛首山梁天監間司空徐度建名佛窟寺乾道志云福昌院本資善院在牛頭山前古長樂寺基與延壽院相隣唐天祐中置南唐後主改今額宋太平興國中改崇教寺　國初仍名佛窟正統間改弘覺陳内翰沂有云牛頭幽棲寺即弘覺寺今又别有幽棲祖堂寺豈即弘覺所分出耶山為祖融大師開教處即牛頭宗入寺歷石磴百級名白雲梯又磴數十凡三殿至

佛劂銀杏一株圍餘二丈庭陰覆幾遍殿左爲方丈公塈齋堂從方丈左折有大浮圖七級緣石徑而上爲觀音閣又上爲塊率崖即捨身臺乃東峰最高處萬仞壁立崖下有地湧泉甚清徹折而西爲文殊洞山之脊介兩峰間有昭明飲馬池從西峰下爲辟支洞洞前有小方塔洞右有安初洞煤洞西下爲禪堂内有浮圖倒影從門隙暎照及丹竈自然生風俱奇絶不可解丁未歲禪堂公塈金剛殿俱修葺臺殿因石壁爲上下嚴麗層複翼然天闕云所領小刹曰慈相寺外承恩寺通善寺

廣緣寺三山寺𤕤通寺佑聖菴資福寺靜明寺

殿堂 大山門洞門壹座 金剛殿伍楹 左右碑亭貳座 天王殿叁楹 正佛殿柒楹 左觀音殿叁楹 右輪藏殿叁楹 後佛殿叁楹 左伽藍殿叁楹 右祖師殿叁楹 方丈拾肆楹 公學貳楹 大齋堂伍楹 大臥佛閣叁楹 藏經殿伍楹 舍利塔柒級 文殊殿叁楹 辟支殿叁楹 方塔壹座 彌勒殿叁楹舊爲三茅殿 僧院伍拾肆房 食糧僧柒拾名 食糧學僧叁拾名 寺基週圍貳拾壹里零叁拾步 東至本寺白石坑 南至趙庫村 西至文殊嶺頂 北至太子嶺脚 禪堂 大門壹楹 禪堂伍楹 左右十方堂陸楹 接引閣叁楹 華嚴樓伍楹 樓下即齋堂 彌勒閣叁楹 閣下即淨業堂 藏經閣叁楹 養老堂叁楹 廚庫茶寮共拾貳楹

公產 蓮花等圩丈過實在田地山塘共陸百陸拾陸畝壹分乞厘 禪堂 東圩併

施捨 丈過實在田地山塘共貳百壹拾叁畝捌分陸厘

山水

牛頭山 高一百四十丈週四十七里雙峰如牛頭故名又名天闕山晉時欲立闕大興中議者皆言漢司徒義興許彧墓二闕高壯可從施之王茂弘弗欲後陪乘出宣陽門南望牛頭山兩峰指曰此天闕也豈煩改作帝從之出文選注　陸倕石闕銘有云假雙闕于牛頭託遠圖于博望　宋建炎中岳飛敗兀术設伏寺內牛山自　仁宗遊後山乃再有　武帝事　武皇帝南巡時曾駐蹕茲山江彬扈從實蓄異謀是夕山爲之鳴三軍驚呼彬謀遂寢

兜率巖 一名捨身臺在東峰之陽由石磴盤旋以上壘石爲浮圖遊人每繞之臺下有殿被火毀今復建有小殿面視無蔽

文殊洞 在兜率巖右容可一二人僧構重樓覆其間名文殊閣檻外巨樹一凭欄坐眺則淸影蔚薈

辟支洞 在西峰前廣踰文殊之一高倍之洞前有殿殿左有方塔

安初洞 俗名野猪洞在辟支洞右路險而僻知至者鮮

煤洞 在安初洞右深入窈窅上聳巨壁傍庋一石遠望甚隆近視則側有如龕狀可蔵一

人

地湧泉在兜率巖下數百步泉自石坎中出深二尺許纖淫縷浸色味俱絕俗以龍王呼之

飲馬池在山上兩峰間遊人自後來者所經舊傳梁昭明太子遊山時飲馬於此

白龜池在天王殿左

虎跑泉在白龜池右

錫杖泉在東峰巔大不盈尺亦坎石

太虛泉在兜率巖石壁下

芙蓉峰山南

雪梅嶺山南

古蹟

文杏在大雄殿前圍可三四尺曾經火燬痕猶在

塔影在文殊洞下影入禪堂隙中倒掛几席陰晴不改

丹竈禪堂內有竈投以薪火風自內生甚熾烈須臾爨熟如去薪火風即止今見用之

石鼓峰之北有石如臥鼓中虛可坐十人吳呼爲石鼓天欲雨則石鼓自鳴

唐浮圖大曆元年代宗因感夢勅修七級浮圖相峙東西峰頂

石窟

石鉢山下有辟支佛窟宋大明中移郊壇于山之東峰執事者導從百餘人的兩峰石窟見一僧趺坐問之忽無所有但遺錫杖香鑪瓶盂而已至徐度建寺因名佛窟有石鉢形甚古唐神龍初併寶公履取入長安

人物

唐

法融一祖有記傳 智巖二祖有傳略 慧方三祖有傳 法持四祖有傳

智威五祖有傳 慧忠六祖有傳略 玄素有碑銘 僧徵漢安僧少爲隸後舍宿參禪有悟說法都下叢林仰之久居牛頭後遷太岡慈善寺感山神讓地所著有雲巢集 文曉秣陵僧以文學馳名嘗和山居詩又欲買船往來秦淮新林著船居詩內一首云性舵心篙體是船隨波逐浪自安然裴風載月無術盡納聖容凡有萬千歷遍無爲真靜海衡開有象妄情川關來泊在菩提岸壓碎蟾光水底天

明

永傑青城僧坐會 國初時住牛頭山日惟默 仁宗出獵時見而問之傑起疊論後人問之曰見 天子不言更待何時 仁祖許他日爲造寺與同宿攬率巖一夕後不久化去遂不果嘗有二詩云月在水中撈不上幾回戳碎水中天夜深山寺開心坐月自飛來到靣前掃盡空堦雨後哲月明延憶憶獨徘徊已知明日非今日轉使情懷撥不開

附參講樓覽

博陵王

蕭元善字邑宰

御製僧智輝牛首山庵記　洪武十年四月

洪武十年夏四月有僧自遼之金山越海而來其僧關内人姓王氏某歲出家于某寺受業于某師師與其名曰智輝字曰朗然其智輝慇懃於座下周旋若干年後長成志在東遊元都果而行之得達至某寺某年拜指空於某寺未幾大將軍兵下中原入胡都智輝東往欲渡鴨綠閡金剛山未遂初志而留禪金山其地北接曠漠彼處人少寡禮義尚殺伐況人徙氊廬而北行深入酷寒智輝自思此處地方每歲未秋勁風先至三冬江海結之冬冰[illegible][illegible][illegible]凝平地丈餘智輝乃曰非茹腥氊而不能居此方今中國

有君萬姓寧家當此之際吾不歸而奚往于是乎持錫星奔攝雲山而西向四月渡滄海於登萊當月至京師朕召見之與語其僧問答聰敏豁然有丈夫之氣豈比泛泛之徒于是　勅住天界使寧神以禪居未三月乃曰吾日中一食樹下一宿今居大厦坐食煩人豈不福將薄而禍臻乞居山僻處願得力耕火種自爲生計以度天年實吾初志也於是許之不旬日其僧來謁而辭　賜齋于西華門上朕謂僧曰爾今既往同行者幾曰同行者有天界蔣山二住持曰送行乎曰然於戲美哉世之學業者如二山之住持雖非通瀞之輩其尋常之僧遇之安有相待若是耶

今爾僧向後果堅貞於釋氏其名必不朽矣特爲之記

藏經護勅（文同報恩）

正統十年二月十五日

〔文〕牛首山崇教寺辟支佛塔記略　宋僧普莊

牛首雙峰高插雲漢實金陵之巨屏東夏之福地林樹葱鬱泉石相映聖賢大士多所棲宅故宋明帝嘗問道林誌云牛首有何神聖曰文殊領一萬菩薩各居于此又辟支迦入定之所卽稱爲佛窟寺上有巖洞幽濬磅礴中鑠眞隱世傳辟支宴坐之洞也西竺曰辟支迦唐云緣覺因觀十二因緣而覺性明悟又云獨覺觀四時之凋變知諸識之何依無師自悟稱之獨覺其或靈山隱秀名洞棲眞因

其所居卽爲化境矣天聖年中僧德銓戮力自劾遍募檀信欲於山頂建造磚塔以標勝跡乃有信人高懷義集衆力成之卽於洞前按圖定址審曲面勢下葬舍利上建塼塔總高四丈五尺中安辟支佛夾苧像一軀粹容儼若寶塔高妙瞻者罔不發菩提心長干圓照大師普莊因覩斯善合掌讚嘆云爾皇祐二年歲次庚寅春三月三日起工八月望日落成後三日謹記

牛首山佛窟寺建佛殿記略　明太子少師吳郡姚廣孝

牛首山在鍾山之南去都城不五十里山不甚高峻兩峰相峙若牛頭出于雲表故曰牛首山是山也泉石清奇草

木偉秀天竺古師嘗嚴棲穴止自昔名聞天下蓋他山所無有者浮屠氏樹梵刹立精舍以揚其靈勝與西北之清涼西南之峨眉並爲聖道場地也佛窟寺不知肇基歲月按南唐保大四年碑佛窟荒事垂二百餘年莫偶檀信李先主惜其勝槩乃興修焉更宋與元至　國朝僅五百餘載中間不知又幾興廢也楚聞寶師來主是寺化募衆檀首建大殿五楹間輸材運甓皆以身先佑力者不呼而爭至創始于永樂十年之春落成于十八年之春

牛首山佛窟寺興造記略　明右覺義道遐

金陵都城之南少折而東三十里許兩峰對峙如雙闕然

即古之牛頭山今謂牛首山者是也山之腹有古梵剎倚巖而居相傳其巖乃辟支佛窟因名茲剎曰佛窟寺焉盖由宋初劉司空捐帑創造劉以其羨餘之力集錄佛經道書內外諸史醫方圖符凡數千百卷總以七藏目之克奉惟謹唐融禪師託迹幽棲時嘗從抄閱後罹延燎俱就煨燼惟曬是典鉅石尚存迨今游觀者以爲美談按佛窟幽棲相去僅十五里二剎皆融祖親經過化六葉傳芳之所然而佛窟之名海內獨稱其最豈非代有碩德聞人相繼振起其間者歟　聖朝尊崇像教茲山一旦而有生氣繇錫來歸遂成叢席永樂間住山因實稍事繕修遽以年耄

築室投閑住持宗謙復募貲金拓故址而廣其締搆始於宣德七年之首夏落成於十年乙卯之孟春其毘盧之閣大雄之殿則尤極宏麗蓮趺猊座像以妥靈彩檻飛簷高出雲表前聳三門翼之兩廡丈室禪房次第俱備夫吾西竺聖人之法東漸以來精藍紺宇棊布星分殆徧區宇稽諸其間替興成壞之迹接於人之耳目者固不可免若夫毘盧法界則無物不具無處不周十虛匪礙而三際匪遷苟非示以壞滅假以成就則何以植彼之福田運我之悲智達此則熾然建立而奚涉有爲泯然沈冥而寧滯空寂土木之功金丹之飾孰謂牽於外務耶　宣德十年乙卯

五月日

重修辟支佛方塔記略　明秣陵盛時泰

夫理示真詮本無生滅相標權設爰有廢興昔如來普度衆生既以圓理而說法復以顯相而示教此窣堵波之建所自有也維兹牛頭山弘覺寺者實文殊領衆之化區辟支証果之初地故有磚塔一鋪肇修於宋矩形鎮領規製凌霄風鐸晨喧霜鴟夜滑于自曩年驚其將圮今歲七月望承毋張諱用設灌臘之虔以報資冥之福見有三際禪師明通者杖錫來兹逝弘增餙仰祈十衆用紹厥功因其所求資以經度金錢布施揮十百以如遺鏐楮盈篋視銖

毫而圖利積浹三旬乎復再至仰瞻俯瞬惕以易覩昔玄度建寶閣于再生事昭龜史澄空瀉金身於三次績紀鑑編以師方之盖亦同轍故爲勒之貞珉用傳有永　嘉靖癸丑中秋日

牛首山禪堂華嚴閣碑　明翰林修撰秣陵焦竑

若夫鷲嶺開圖雞林闡法朗玄珠於定水抵蒼壁于愛河擄五濵以發揮盡四流而提挈足使迷方自曉蹇步同安非大雄孰能當此者乎顧自義學繁興頓教日弛徇物情之好徑忘大道之甚夷豈知迷悟異塗聖凡同體其悟也即衆生爲諸佛之本源其迷也即聖解爲凡夫之抗塹情

生智隔力盡功圓故釋天之害網不藉人爲離垢之摩尼
匪從外得此之爲義莫備于華嚴矣始列毘盧法界既陳
普賢行海體用互徹依正交參示當念之咸眞信卽心而
爲佛俾披覽者若獲如意之珠食善見之果有求輒遂無
疾不瘳誠所謂諸佛之密因如來之眞諦者乎迨夫摩騰
之至難陀之譯所謂尋師鹿苑抱帙猊臺豈以忘兎而守
蹄政欲因標而見月然而爭參佛影徒侈說鈴悠悠者虛
歷僧祇皎皎者自纏法見詎非以秘密之玄宗下士大唉
究竟之微旨非人不行者哉牛頭弘覺寺者建鄴之名藍
也憑絶巘以規形俯長江而挺勝丹梯碧澗上冐藤蘿桂

廡松楹下飛泉溜遠瞻則千林接隰近睇而雙角昂霄蓋自王丞相指以示人融法師坐而進道遂以雄標江表法紹曹溪百刹皈依九衢瞻禮若其琳臺聳照寶相分光有類飛來無慙涌出銀龕幻影倒垂雁影之花石壁鐫經下映龍宫之業是以黄旗書徙紫蓋宵臨　仁皇宰文士以品題　武皇慕嘉名而眺矚信息心之名蹟棲禪之勝地也金陵釋定林者不礙居真甚深爲寶惘茲蓋縛大布津梁謂非經曷以度世非閣曷以庋經乃建置禪堂之後栫曰華嚴以全經貯焉于時藏足龕形大海桮浮之苦累時積歲流沙懸度之勞願力既登信心彌廣以故淨財霧集

真衆星馳架險連榮因高積磴丹青映于菌閣銑鋈接乎蓮宇遂使三十二好之相月朗毘耶八十一卷之文雷轟震旦自非信格豚魚行瑩圭璧豈能動玄機于肹蠁成勝業于須臾勳邁布金德超掩髮是役也上人徵銘于余亡何訪道亭州示疾而殁嗟乎見化靡常應身難駐繁霜旦委陰風暮來隻履颾其君空雙峰黯而無色命也如此人其奈何今年春余結侶南郊尋真上刹但見樹蔵毵于玉葉鳥弄鳴于瓊音十種香泥瑆壇踊躍四依圓鏡飛閣翱翔樹甘露于十方綿佛日于三際時移事異物在人非感拂松之既遐傷社蓮之永謝言猶在耳死豈倍心爰竭鄙

衷式昭弘美廣幾玄覽湛霄對長畫蕨月之基彩筆縱横欲借淩雲之氣其詞曰猗歟聖言華嚴爲統十萬正文百千妙頌行海無涯法界斯總淵匠既遠妙義寖微智燈欲晦疑蘂時飛不有覺筏疇開悟機峩峩牛頭唐開淨國碧洞棲霞丹丘抗月考室巖腰曾巢嶺脅有美開士卓錫來臻弘新杰構大演真乘迷雲盡斂法雨斯興寶坊厰起銀函星布樹以妙梯登之覺路熒熒千燈迷方自悟既忻繩布倏痛舟沈去來何在輪奐長新題銘貞琰敢詒靈津　萬曆癸巳春

牛首山禪堂彌勒閣碑　明翰林編修顧起元

原夫法身住世混今古于剎那之中實地超塵羅剎海于隣虛之內剎那者無時之時先聖後聖不得而睽其際也隣虛者無住之住麁界妙界不得而區其境也然而乘機御物廻俗依真爰有次第出現之儀或示莊嚴隨報之蹟是以兜率院內記慈氏以代興毗盧藏中現神樓而表瑞無心非境境非境以皆心無境非心心自心而爲境珠光互徹全融彼是之形燈影同居不礙一多之相悟之者卽火宅而入室一彈指盡越階梯迷之者在法界而面墻歷僧祇莫窺門戶自非曼殊無師之智高揖四流善財無證之修深窮六相斯則金襴霞綴空迷雞足之烟珠絡雲披

莫辨龍華之日其又誰能默證一心垂蔟百世使覺城之千仞再揭龍宫智地之雙扉重開鷲嶽者哉牛首山彌勒閣者圓受上人之所剏也上人冥契性宗玄通法相同龕龍象標慧月于雙峰匝地香花霪慈雲於萬壑謂天闕爲見在叢林之勝而彌勒乃未來賢刼之宗爰集淨緣同新梵刹願海立則幽冥咸助其誠勝事興則人天共成其果鳴鐘注刹如趣摩竭之宫效伎呈材似向毘耶之國於是測圭眡墨塹壑夷峰鷲版築之如雲訏經營于不日因高積磴更昇百丈之梯駕險連楹飜倒三休之殿掛星斗而旁日月競寫琱簷爍靄電而走虹霓爭扶繡拱斯巳仰控

四天頻臨十地矣若夫金圖菌壁翠絡茄梁摩尼成半月之形瑪瑙瑩明霞之色質多羅樹萃虎窟以爲幢芬陀利華偃龜池而作盖星垂欄鐸霧引山鑪斯實天台之嚴麗靡渝魔殿之光明永蔽者也爾乃金儀載寫王相弘開七寶網中遍現大千之影千葉蓮上尊居丈六之身水淨月持光涸裟竭香聞忉利風满毘藍斯又何待證補處之一生方伸攀[illegible]越人間之三載蹔許經行者哉於是召延緇侶翹仰慈顔花氈朝鋪蓮鐙夜朗目瞻疊而不捨心悲喜以交馳將同德生童子遞位位以推升普賢菩薩誓重重而加行超兹無學門一扣而旋扃謝彼有情家一入而不

出斯亦可謂説大身即非大身非莊嚴是名莊嚴者矣方
冀入斯閣者妙觀身智圓照識心經河沙刼而不求世名
入寂滅海而能開衆目廣幾真身頓現時見異優曇之華
法界不遷普入等因陀之網余既欽承淨域快陟靈峰爰
稽首以歸誠肆刳心而作頌其辭曰巍巍天闕大雄都之
飛觀攸啟曾崖兀聿如龘如龘惟石齒齒疇是布金吉祥
無上以肇厥祀厥祀維何天中之天阿逸多氏然照世鐙
作將來眼以怙亡子曼曼博夜羣魔競嬈挨扰攩秘爰樹
兹刹建大法幢爲庇爲止有來衆生或叩或瞻或目或指
乃至嬉戲或一攀楯延脰錯趾我知如來罔不攝受令大

歡喜若月印水若鏡印像緣法法爾剎網有盡惟此常住不𪅂不阤一一微塵偈往弗攝在彼在此如是功德山頹海墨罔克攸紀我秉佛力說此頌言以曙厥理天龍神鬼人非人等勿替頂禮　萬曆二十九年辛丑孟秋

弘覺寺禪堂義田記　明翰林修撰朱之蕃

蓋聞化宣白業藉象教以示規繩旨洩玄微待禪悅以登覺照爰自西來啟秘法會月盛而日新致兹東土流慈緇衆波興而雲湧九州五嶽選地鋪金一壑半巖因人樹果譬之大海滙百川源派何分於鉅細猶夫三光曜萬古虛白罔間於朝昏凡我有情欲窺無漏必先喜捨庶得慈航

匪徒破此貪慳實以資其持誦矧金陵佳麗六朝名勝常存逮寶咼奠安　二祖嶶猷丕顯猗玆天闕鎮乃地維鐘鼓撼風雲於九天貝梵傳潮音於百雉禪關舊闢來法侶於東西南北之途齋供有恒翙福田于僧俗善信之衆各捐寶鏹同心者三百許人共選名區爲田者頃半餘畝用佐禪堂之一食聿貽永供于千秋慮感盛舉彌久而就湮托貞珉徵言而垂誡施財之苗裔瞻祖德而重興普濟之思受供之僧徒享齋厨而咸起報稱之願雖非大乘超悟之要領抑亦空門循修之善因也之蕃一再來游三復義舉不辭蕪陋式紀休嘉滄海桑田世變密移而迷愚罔覺虛

舟夜壑貞常不毀而玄解維新火盡燈傳滅滅生生無已
已波横舵定來來去去總休休寧隨隻履以俱西壁中面
目欲駕駟車而虛左方外機鋒無有成有法輪初轉兆萬
有以俱開非空不空滿月孤懸照真空而無改百寶聚如
塗足泥染着都無是處三花發似擊石火妙明元隔如來
況爾彈丸倏充供養稍存芥蒂孰證菩提吾願與來學有
徒收鉢觀空而息有更期得無上具足趺坐喪我以忘年
庶幾捨無所捨取無所取衆生心即佛心視已非已視人
非人萬種見皆道見靡拘四大不障他山登斯堂而遠覽
大千味愚言而各尋歸一勿徒煩乎旅食憎多口於移文

萬曆二十八年庚子仲夏五月

冬遊記節文　　明翰林修撰羅洪先

三十日余與南山及盧子同遊牛首自鳳臺門出西阜使人邀至萬歲寺午飯飯罷同步至祝禧寺晚覲楞伽經十二日早僧一菴設齋供畢西阜別去余三人跨馬逶迤循山而行有頃抵牛首至峻級處姑下馬古杉喬松蕭森屏列循街而上至住持方丈中熟睡睡覺飯畢從方丈左折登塔殿壁後依石壁左角有小徑緣石而上從石穴中出上有小石塔石兩傍方平僅容人行名捨身崖余與南山次第登之盧子股栗不敢上坐少頃復從石穴下由殿外

左折登憑虛閣又折而上入文殊洞出洞巡簷廊立夕陽倒射廊中天光下臨遠近嵐烟映草林木遠水横帶暮鳥分歸大奇景也出廊西右折横過山腰有僧結茆菴獨坐與之語亦稍知自謀者宛復而西觀辟支洞洞甚小且傾仄下至禪堂巳昏黑則聞龍溪至矣遂出相迎龍溪乃與吳茗溪陳紀南趙尚莘同來飯罷同至禪堂分榻而坐已而三人皆分宿各方丈余與南山龍溪連臥禪榻上因論告子義襲之旨龍溪曰學問識得真性方是集義不然皆落義襲矣余因請曰兄觀弟識性否龍溪曰全未因與南山歎曰如此則非集義終日作何勾當可不省哉因各惕

然自懼初二日早起與諸公就禪堂前石室中閉門觀塔影塔影從門孔中入倒懸向下無問陰晴皆得見之已而轉方丈中飯飯罷各乘輿登眺而予與盧子從石徑上山頂觀佛眼水水在石孔中甚清潔深數尺許而是石皆有鉛鐵光盧子恐怖不敢近視余盤踞坐其上俯而下視崖石千仞少頃登絶頂坐盤石上龍溪亦至北望鍾陵烟雲幕其下獨露山頂若螺髻然迴廻四顧廣漠無際龍溪咲曰可謂下視八方矣余乘肩輿過獻花巖而龍溪南山先入祖堂余與盧子觀諸嵒洞登芙蓉閣反視牛首山樓閣秀麗若畫凭欄久之嵒僧邀宿以龍溪使人相促復由山

左轉入祖堂至則二兒以迷道下山適至寺寺僧海天延入方丈設齋供畢同入禪堂觀諸僧煉魔皆數日夜始一休因感悟自己悠悠處歸臥禪榻夜半請問善與人同之旨龍溪曰善與人同是聖凡皆是平等如今纔說作聖便覺與人異若看得聖人與愚夫愚婦稍有不同即非大聖之學矣且曰天性原自平滿今汝縱是十分回頭用力俱湊泊作平滿作平滿便是不平滿矣此皆機心不息所以至此余默然領受初三日早飯罷同視嬾融洞洞中一石書佛字乃四祖點化嬾融處余三四人依石而坐適有道人唱道詞皆警世語令人心思泠然出洞觀無梁殿乃海

天所創歸方丈復設齋供罷各跨馬過嶺復入獻花岩二公登陟余止茅菴中已而同下至禪堂中各占一席設禪衣熟睡睡覺由翠濤軒玩竹又從寺左下磴下至方丈中茶畢各上馬去是日恐天雨不復入祝禧寺遂由紅石山經馴象門而西趨華嚴寺至則天復晴朗

遊獻花巖牛首嶺記　明南刑部尚書顧璘

牛首山與獻花巖對峙並金陵勝地在郊南二十五里許陳氏孔彰居相近故主予輩相是遊自春凡三易約乃定於四月十有二日日雖雨必往至日晨風颯然纖雨斷續策馬出郭門徑趨花巖時避雨道傍農舍比至寺雨益急

侍御王君士招行後五里假盖野人乃獲至衣盡沾濕南昌守羅君質甫先宿方山别墅濘不得至時孔彰食具亦阻于途予三人躡屐登芙蓉閣高倚空際雲霧生自下方疾風橫過開闔明晦倏忽萬狀木葉滴瀝懸澗泉落四壁峭然莫聽人語相顧歎曰霽遊者安知此奇哉下飯僧寮孔彰始至夜分遂連床卧談古今且寤且寐不知倦憊之去體雨竟夜有聲衾枕皆潤薄寒襲人殊異城市其實身卧雲霧中也晨起宿靄抹半峰間遠望巖巒如人新沐畢露情采興不可遏遂乘馬沿嶺背爲牛峰遊至則殘雨復落不可登陟小飯天闕丈室徘徊睇望神遊萬峰之間乃

誦杜工部詩曰盪胸生層雲決眥入飛鳥殆爲今日設乎雨且止亦且暮遂别主僧出山夫兹遊值雨爲勞然情景奇勝亦復相稱乃知憂樂之方得失之跡固不可以意校也

遊牛首山記

明都穆

金陵多佳山牛首爲最山據城之南初名牛頭以雙峰並峙若牛角然佛書所謂江表牛頭是也晉王丞相導嘗指曰此天闕也後又名天闕山云丁卯七月二十有三日吏部主事顧華玉與予約客户部員外郎黄子和朱升之國學士陳魯南而予兒元翁侍焉遂共出鳳臺門南行十五

里至塘灣又南行十里度嶺又三里抵山舍西上二里達弘覺寺門内二井其左曰白龜池右曰虎跑泉後僧以其險更甃爲井而虎泉尤清洌寺衆汲於此躋石級庭中銀杏一株圍可二丈午食畢登浮圖至其巔有聯句詩經修廊東行緣石魚貫上登觀音閣憑闌游覩茅見浮圖之尖再上聞有捨身臺及辟支佛足跡以嶮險不及觀下至兜率巖空洞上突出如屋久之至文殊洞前有屋一楹衆復聯詩書壁上既而登山之脊觀蕭昭明飲馬池徑可丈餘冬夏不涸下而西至辟支洞廣差勝文殊石浮圖立其前辟支舍利所藏處也老僧言少嘗見舍利放光今數十年

矣浮圖有石刻二其一宋皇祐二年記不著撰人中載誌公答宋明帝語云昔辟支佛冬居於此其一乃如愚居士詞字絕類黄太史居士殆隱逸之儔與西下經禪堂旁室闔其門有竅如錢日光射浮圖影倒掛佛案紙上不可曉也夜燕方丈予以倦驪去衆作詩角險至雞號乃罷二十四日早出寺而南山路陡峻馬屢前却時雲霧四興遥視山足則日光在田禾黍映之繚黄縈碧如僧伽黎予笑語三君不知身之在人間世也五里至獻華巖石益奇麗中

虛深可十步儼若堂宇相傳唐高僧嬾融嘗居其中有百鳥獻華之異巖因以名山故有幽棲寺今廢成化間山東

僧道興至堅坐不動有財者樂爲之施寺由是復興今名華巖巖之南曰屯雲亭又南曰芙蓉閣閣嵌巖石登其上羣峰攢簇悉在目睫山之最佳處也衆共飲焉北下僧廬其扁曰無邊風月可坐眺遠又下有軒曰無塵仍賦詩又二里出山是爲記

遊牛首諸山記略　明南刑部尚書吳郡王世貞

余耳建業牛首之勝者久矣至謂不陟牛首不爲宦建業而甫上事之月有八日太宗伯姜公少司寇李公邀予與大司寇陸公少司徒方公遊焉抵山門日巳下春緣坡而上至金剛殿殿後有石階數之正得百級曰白雲梯梯盡

門左四天王殿殿後級如前而殺其半梯盡爲大雄殿殿後爲毘盧殿毘盧者釋迦千丈報身也大雄之左方室曰觀音右曰輪藏中爲平除下俯天王殿除之左文杏樹高可數十仞圍稱是百年前刼火不能燼非僧臘可擬已與陸公稍西過一樓宿焉其前三楹樓也而後則踞巖爲淨室瞑前榮而坐皎月當牖其東南連嶂紫翠百狀西南爲下方檐壟菜畦平楚細流一碧千頃與陸公對坐嗒然忘此身之猶在塵世也淩晨起姜公李公要余飯方丈余與談兹樓之勝乃出循東廊度峻嶒而上得文殊洞自然石龕文殊像極猥小而外爲重屋幕之不足當金剛窟萬之

一又東爲辟支巖有塔附焉曰藏辟支佛舍利處也頗現光怪余讀盛仲父記爲一哂辟支獨覺也刼前迦葉佛有之安得留舍利於支那殆是菩薩或高僧舍利耳又東爲捨身臺循松林而下觀所謂昭明太子飲馬池者一坎窅耳水赤而濁僧云亦時涸三吳諸蹟多附之昭明亦妄也出三門欲取道獻花巖肩輿出没松影與虢日相照豐草綠縟黄花錯出如綺繡可五里許得一嶺下輿郄望牛首丹宫碧宇刻嵌巖際下者若墜上者若綴帝釋天花城恐不是過也循嶺而右稍降爲祖堂盖融之後尊融爲祖以嗣信大師者前後殿閣頗整麗啜僧供而出復憩故嶺徘

徊不忍下乃循嶺而左稍降可里許得獻花巖故寺道傍一深洞延袤將二丈塑融像其中僧蓋云此融未見信大師坐處也劉禹錫所稱皓雪蓮生巨蛇擢伏羣鹿馴聽正其時也迨得法信師之後則不爾不落階級自不爲鬼神所窺道宣之所以不敢望三車也然融初不作有漏因後乃日於丹陽負米一石八斗爲衆法成此大刹能無與達摩初祖示訓相倍耶要之融自得法之後猿鳥獻花亦可不獻亦可作有爲跡亦可不作亦可如未得法却無一是處僧導登山門前殿陟險坐芙蓉閣亦可以眺牛首俯下方然迫仄殊不逮所聞還至報恩更衣别諸公時日猶未

下春云

傳 牛頭山第一祖融大師新塔記　唐劉禹錫

初摩訶迦葉受佛心印得其人而傳之至師子比丘凡二十五葉而達摩得焉東來中華華人奉之爲第一祖又三傳至雙峰信公雙峰廣其道而岐之一爲東山宗能秀寂其後也一爲牛頭宗顔持威鶴林徑山其後也分慈氏之一支爲如來之別子咸有祖稱燦然貫珠大師號法融姓韋氏延陵人少爲儒博極羣書既而嘆曰此仁義言耳吾志求出世間法遂入句曲依僧炅改逢掖而緇之徙居是山宴坐石室以慧力感通故旱麓泉湧以神功示現故皓

雪蓮生巨蛇摧伏羣鹿聽法貞觀中雙峰過江望牛頭頓
錫曰此山有道氣宜有得之者乃果與大師相遇性合神
授至於無言同躋至地密付眞印揭立江左名聞九圍學
徒百千如水歸海由其門而爲天人師者皆脉分焉顯慶
二年報身示滅道在後覺神依故山戒香不絶龕座未飾
夫豈不思乎蓋神期冥數必有所待大和三年潤州牧浙
江西道觀察使檢校禮部尚書趙郡李公在鎮三閏百爲
大備尚禮信古儒玄交修始下令禁桑門販佛以眩人者
而于眞實相深達焉嘗謂大師象設宜從本教言自我啟
因自我成乃召主吏籍我月入得緡錢二十萬俾秣陵令

如符經營之三月甲子新塔成事嚴而工人盡藝誠達而山神來護願力既從衆心歸重造大龍像大會諸天聲香之蘊如見如聞卽相生敬幽明同感尚書欲傳信于後遠命予志之夫上士解空而離相中士著空而嫉有不因相何以示覺不由有何以悟無彼達真諦而得中道者當知爲而不有賢乎以不修爲無爲也

牛頭山法融傳　　高僧傳

釋法融姓韋潤州延陵人年十九翰林墳典探索將盡而姿質都雅偉秀一期喟然嘆曰儒道俗文信同糠粃般若止觀實可舟航遂入茅山依炅法師剃除周羅服勤請道

昃譽動江海德誘幾神妙理眞筌無所遺隱融縱神挹酌情有所緣以爲慧發亂縱定開心府如不凝想妄慮難摧乃凝心宴默於空靜林二十年中專精匪懈遂大入妙門百八總持樂說無盡趣言三一懸河不窮貞觀十七年於牛頭山幽棲寺北巖下别立茅茨禪室日夕思擇無缺寸陰數年之中息心之衆百有餘人初構禪室四壁未周弟子道綦道憑於中攝念夜有一獸如羊而入騰荷揚聲脚蹴二人心見其無擾出庭宛轉而遊山有石室深可十步融於中坐忽有神蛇長丈餘目如星火舉頭揚威于室口經宿見融不動遂去因居百日山素多虎樵蘇絶人自融

入後往還無阻又感羣鹿依室聽伏曾無懼容有二大鹿直入通僧聽法三年而去故慈善根力禽獸來馴乃至集於手上而食都無驚恐所住食厨基臨大壑至於激水不可環階乃顧步徘徊指東嶺曰昔遠公拄錫則朽壤驚泉耿將整冠則枯甃還滿誠感所及豈虛言哉若此可居會當清泉自溢經宿東嶺忽湧飛泉清白甘美冬溫夏冷即激引登峰趣釜經廊此水一斗輕餘將半又二十一年十一月巖下講法華經於時素雪滿階法流不絶於凝冰内獲花二莖狀如芙蓉瓌同金色經于七日忽然失之衆咸歎仰永徽三年邑宰請出建初講揚大品僧衆千人至滅

諍品融乃縱其天辯商搉理義地忽大動聽侶驚波鐘磬香狀並皆搖蕩寺外道俗安然不覺顯慶元年司功蕭元善再三邀請出在建初融謂諸僧曰從今一去再踐無期離合之道此常規耳辭而不免遂出山門至二年閏正月二十三日終於建初春秋六十四道俗哀慕官僚軫結二十七日窆於雞籠山幢蓋笳簫雲浮震野會送者萬有餘人傳者重又聞之故又重緝初融以門族五百爲延陵之望家爲娉婚乃逃隱茅岫炅師三論之匠依志而業又往丹陽南牛頭山佛窟寺現有辟支佛窟因得名焉有七藏經書一佛經二道書三佛經史四俗經史五醫方圖符昔

宋初有劉司空造寺其家巨富用訪寫之永鎮山寺相傳守護達於貞觀十九年夏旱失火延燒五十餘里二十餘寺并此七藏並同煨燼嗟乎回祿事等建章道俗悼傷深懷惻愴初融住幽棲寺去佛窟十五里將事尋討值執藏顯法師者稽留日夕諮請經久許之乃開融所學并探材術遂寄詩達情方開藏給於即內外尋閱不謝昏曉因循八年抄略粗畢還隱幽棲閉關自靜房宇虛廓惟一坐敷自餘蔓草苔莓擁結坐牀塵高二寸寒不加絮暑絕追涼藉草思微用畢形有然而吐言包富文藻綺錯須便引用動若珠聯無不對以宮商玄儒兼冠初出幽棲寺開講大

集言詞博遠道俗咸欣永徽中江寧令季修本卽右僕射靜之猶子生知信向崇重至乘欽融嘉德與諸士俗步往幽棲請出州講融不許乃至三返方遂之舊齒未之許後鋭所商搉及登元座有光前傑答對若雲雨寫莚等懸河皆曰聞所未聞可謂中興大法於斯人也聽衆道俗三千餘人講解大集時稱榮觀爾後乘玆雅聞相續法輪邑野相趍庭宇充闐時有前修負氣望日盱衡乍聞高價驚惶府俞來至席端昌言徵責融辭以寡薄不偶至人隨問答遣然猶謙挹告大衆曰昔如來說法其理猶存人雖凡聖義無二准何爲一時一席受道之衆塵沙今雖開演領悟

之實絶滅豈非如行如說心無累於八風如說如行情有薄於三毒不然將何自拔耶聞者撫心推測涯極故使聽衆傾耳莫不解形情醉初武德七年輔公託跨有江表未從王政王師薄代吳越廓清僧衆五千晏然安堵左僕射房玄齡奏稱入賊諸州僧尼極廣可依關東舊格州別一寺置三十人餘者遣歸編戶融不勝枉酷入京陳理御史韋挺備覽表辭文理卓明詞彩英贍百有餘日韋挺經停房公伏其高致固執前迷告融云非謂事理不無但是曾經自奏何勞法衣出俗將可返道賓王五品之位俯若拾遺四千餘僧未勞傍及融確乎不拔知命運之有窮旋于

本邑後方在度又弘護之誠喪形爲本略出一兩示其化迹永徽之中睦州妖女陳碩貞邪術惑人傷誤良善四方遠僧都會建業州縣搜討無一延之融時居在幽巖室猶懸磬寺衆貧煎相顧無聊日漸來奔數出三百舊侶將散新至無依雖欲歸投計無所往縣官下責不許停之融乃告曰諸來法侶無問舊新山寺蕭條自足依庇有無必失勿事覊離望刹知歸退飛何往並安伏業禍福同之何以然耶並是捨俗出家遠希正法業命必然安能避也近則五賊常逐遠則三獄恒纏心無離於倒迷事有障於塵境斯爲巨蠹志異驅除安得瑣瑣公途繫懷封著並隨本志

無得遠於幽林融以僧衆口給日別經須躬往丹陽四告士俗聞者割減不爽祈求融報力輕强無辭擔負一石八斗往送復來日或二三莫有勞倦百有餘日事方寧靜山衆恬然無何而散于時局情寡見者被官考責窮刻妖徒不能支任或有自縊而死者而融立志滔然風塵不涉容主相顧諧會瑟琴遂得釋然理通情洽豈非命代開士難擁知人寒木死灰英英間出實斯人矣時有高座寺亘法師陳朝名德年過八十金陵僧望法事攸屬開悟當塗融在幽棲聞風造往以所疑義封而問曰經中明佛說法言下受悟無生論中分別名句文相不明獲益法師受佛遺

寄敷轉法輪如融之徒未聞靜慼爲是機罷覆塞爲是陶化無緣明昧廻遑用增虛仰必願開剖盤結伏志遵承亘良久憮然告曰吾昔在前陳年未冠肇有璀禪師王臣歸敬登座控引與子同之吾何人哉敢當遺寄遂爾而散融還建初寺潛結同倫亘重其道志策杖往尋既達建初寺有德善禪師者名稱之士喜亘遠來歡愉談謔而善與融同寺初未齒之亘曰吾爲融來忽輕東魯乃召而問之令叙玄致即坐控舉文理具揚三百餘對言無浮采於是二德嗟詠潚懷仍於山寺爲立齋講然融儀表瓌異相越常人頭顱巨大五岳隆起眉目長廣額頰濃張龜行鶴視聲

氣深遠如從地出立雖等倫坐則超衆衣服單素纔得充軀肩肘絶綿動逾累紀嘗有遺者返而還之而心用柔軟慈悲爲懷童稚之與耆艾敬齊如一屢經輕惱而情忘瑕不顧曾有同友聞人私憾加謗融身詈以非類乃就山説之融曰向之所傳總是風氣出口即滅不可追尋何爲負此虚談遠傳山藪無住爲本顧不干心故其安忍刀劒情靈若此或登座罵辱對衆誹毁事等風行無思緣顧而顔貌熙怡倍增悦懌是知斥者故來呈拙光飾融德者乎傳者抑又聞之昔如來説化加謗沸騰或殺身以來誚或繫杅以生誹滅跡内以死蟲反説而欺大聖斯徒衆矣而佛

府而隱之任其訕誹及後過咎還露或生投地穴或飲入泥犁天人之所共輕幽顯爲之悲慟而如來光明益顯金德彌昌垂範以示將來布教陳於陸海融嘗二十許載備覽羣經仰習正覺之威容俯聆喋喋之聲說陀那之風審七觸之安有刹那之想達四選之無停固得體解時機信五滓之交貿覽其指要聊一觀之都融融實斯融斯言得矣

智巖禪師傳略　　傳燈錄

智巖曲阿人隋大業中爲郎將累從大將征討頻立戰功唐武德中年四十遂乞出家入舒州皖公山嘗在谷中入

定山水暴漲師怡然不動其水自退有獵者遇之因改過修善復有昔同從軍二人聞師隱遁乃共入山尋之旣見因謂師曰郎將狂耶何爲住此答曰我狂欲醒君狂正發夫嗜色淫聲貪榮冐寵流轉生死何由自出二人感悟歎息而去師貞觀十七年歸建業入牛頭山謁融禪師發明大事禪師謂師曰吾受信大師眞訣所得都亡設有一法勝過涅槃吾說亦如夢幻夫一塵飛而翳天一芥墮而覆地汝今已過此見吾復何云山門化導當付之於汝師稟命爲第二世以後正法付方禪師住白馬棲玄兩寺又遷住石頭城于儀鳳二年正月十日示滅顏色不變屈伸如

生室有異香經旬不歇

慧方禪師傳　　傳燈錄

慧方潤州延陵人投開善寺出家及進具洞明經論後入牛頭山謁巖禪師諮詢秘要巖觀其根器堪任正法遂示以心印師豁然領悟於是不出林藪僅踰十年四方學者雲集師一旦謂衆曰吾欲他行隨機利物汝宜自安也乃以正法付法持禪師遂歸茅山數載將欲滅度見有五百許人髻髮後垂狀如菩薩各持幡華云請法師講又感山神現大蟒身至庭前如將泣別師謂侍者洪道曰吾去矣汝爲吾報諸門人及門人奔至師已入滅時唐天冊元年

八月一日

法持禪師傳　傳燈録

法持潤州江寧人幼歲出家年三十遊黄梅忍大師座下聞法心開後復遇方禪師爲之印可乃繼迹山門作牛頭宗祖及黄梅謝世謂弟子玄賾曰後傳吾法者可有十人金陵法持是其一也後以法眼付智威禪師於唐長安二年九月五日終於金陵延祚寺無常院遺囑令露骸松下飼諸鳥獸

智威禪師傳　傳燈録

智威江寧人住迎青山始丱歲忽一日家中失之莫知所

從父母尋訪乃知已依天寶寺統法師出家矣年二十受具後聞法持禪師出世乃往禮謁傳受正法自爾江左學徒皆奔走門下其中有慧忠者目爲法䎸師嘗有偈示曰莫繫念念成生死河輪廻六趣海無見出長波慧忠偈答曰念想由來幻性自無終始若得此中意長波當自止師又示偈曰余本性虛無緣妄生人我如何息妄情還歸空處坐慧忠偈答曰虛無是實體人我何所存妄情不須息即泛般若船師知其了悟乃付以山門遂隨緣化導師於唐開元十七年二月十八日終於延祚寺

慧忠禪師傳略　　傳燈録

慧忠潤州上元人年二十三受業于莊嚴寺其後聞威禪
師出世乃往謁之威一見曰山主來也師感悟微旨遂給
侍左右後辭詣諸方巡禮威於具戒院見凌霄藤遇夏萎
悴人欲伐之因謂之曰勿剪慧忠回時此藤更生及師回
果如其言即以山門付囑訖出居延祚寺師平生一納不
易器用惟一鐺後衆請入城居莊嚴舊寺師欲於殿東別
創法堂先有古木羣鵲巢其上工人將伐之師謂鵲曰此
地建堂汝等何不速去言訖羣鵲乃遷巢他樹師嘗有安
心偈示衆曰人法雙淨善惡兩忘直心眞實菩提道場唐
大曆四年六月十五日集僧布薩訖命侍者淨髮浴身至

夜有瑞雲覆其精舍空中復聞天樂之聲詰旦怡然坐化五年春荼毘獲舍利不可勝計

潤州玄素大師碑銘　唐李華

道行無跡妙極無象謂體性空而本源清淨謂諸現滅而覺照圓明我天人師示第一義師無可說之法義爲不二之門其定也風輪駐機其慧也日宮開照其用也春泉利物三者體備誰後誰先入無量而不動問法華而涌出湛兮以有無觀聽而莫測寥焉以遠近思惟而不窮知德皆空爲眞實際大悲恒寂遍撫羣迷月入百川之中佛匝千花之上修而證者玄同妙有應而起者旁作化身先大師

適來此土化身歟適去他方補處歟不可得而知也自如
來現滅四魔橫恣人天無怙寄命崩嵀勝大敵者那羅延
身銷大毒者伽陀妙藥援陷扶墜而生大師大師延陵馬
氏諱玄素字道清崇高紹興於法位胄緒不繫於人間慈
母方娠厭患葷肉長至之日誕彌仁尊生有異祥乳異安
靜既齔稽首父母求歸法門即日獲請出依精舍如意年
中剃度隸江寧長壽寺即進具已戒光還定水澄源鵞王
之不受泥塵香像之頓除羅鎖未之比也身長七尺體無
凡骨眉毛際臉口若方丹目不顧盼聲侔扣玉入南牛頭
山事威大師撞鐘大鳴入海同味迦葉以頭陀第一大師

[illegible]執塵勞聞一知十未聞請益觀法無本觀心不生從金剛之最堅比獅子之無畏圓月照海高深盡明慧風吹雲宇宙皆淨威大師摩頂謂曰東南正法待汝興行命於別位開導來學於是騶虞馴擾表仁之至也衆禽獻果明化之均也接足右繞百千人俱大師悉以菩薩呼之教習大乘戒妄調伏自性還源無漸而可隨無頓而可入摩尼照物一切如之吾當默然無法可說或有信願雙極懇求心要于我渴仰施汝醍醐問禪定耶吾無修問智慧耶吾無得道惟心證不在言通壞帝釋輪終爲世論自淨而已無求色聲既無者小無微塵大無三界當悟者內珠雖隱

猶作麥因藥草無殊根莖等潤貌和言寡饑至飽歸或有聞尊稱而遷善現色身而獨得我無示念道溥慈圓食不問鹹酸口不言寒暑身同池水飽蚊蚋之饑渴道離人我順衆生之往來貴賤怨親是法平等故饋甘味而不辭同於糗精奉上服而不拒齊於湔裼俾夫家有道侶府無爭人開元中本寺僧法密請至京口潤州刺史韋銑灑掃鶴林斯爲供養有屠者恣刃積骸如山刺史韋銑聞大師尊名來仰眞範忽自感悟懺伏求哀大師受之又白言和尚大悲當應我供大師衲衣跏趺未嘗出戶公侯稽首不爲動搖至是如其懇求忻然降詣六盜隱其罪虎慈其子仁

與不仁皆同佛性無生無滅無去無來令濁流一澄清於立現諸佛所度我亦度之天寶中揚州僧希玄密請至廣陵便風馳帆白光引棹楚人相慶佛日度江梁宋齊魯傾都來會津塞途盈人無立位解衣投施積若丘陵皆委於所在行無住捨禮部尚書李憕時爲揚州牧齊心跪謁爲衆倡首望慈月者誰不清涼傳百億明燈照四維上下塵沙之數皆超佛乘二州以貪法之心後牒踰月均吾喜捨成爾堅牢無非道場還至本處天寶十一載十一月十一日中夜坐滅嗚呼菩提位中六十一夏父母之生八十五年起哀位者可思量否至有浮江而奠望寺而哭十里花

雨四天香雲幢幡盖絪光蔽日月以是月二十一日四衆等號捧金身建塔于黄鶴山西原像法也州伯邑宰執喪師之禮率衆申哀江湖震悼曩於寺内移居高松互偃涅槃之夕倚桐雙枯虎狼哀號聲破山谷人祇憯動天地晦暝及發引登原風雨如掃慈烏覆野靈鶴廻翔有情無情德至皆感初達摩祖師傳法三世至信大師信門人達者曰融大師居牛頭山得自然智慧信大師就而証之且曰七佛教戒諸三昧門語有差別義無差別羣生根器各各不同唯最上乘攝而歸一涼風既至百實皆成汝能總持吾亦隨喜由是無上覺路分爲此宗融大師講法則金蓮

冬敷頓錫而靈泉涌溢東夷西域得神足者赴會聽焉融
受巖大師巖受方大師方受持大師持受威大師凡七世
矣真乘妙緣靈祥嘉應僉具傳録布於人世門人法鏡吳
中上首是也門人法欽徑山長老是也觀音普門文殊佛
性惟二菩薩重光道源門人法勵法海親奉微言感延霜
露繕崇龕座開構軒楹時惟海公求報師訓廬孔氏之墓
起淨明之塔世異人同泫然長慕僧慧端等蔭旃檀樹皆
得身香菩薩戒弟子故吏部侍郎齊澣故刑部尚書張均
故江東採訪使潤州刺史劉日正故廣州都督梁昇卿故
採訪使潤州刺史徐嶠故採訪使常州刺史劉同昇韋同

禮故給事中韓賓故御史中丞李丹故涇陽縣令萬齊融
禮部員外郎崔令欽道流人望莫盛於此弟子嘗聞道於
徑山猶樂正子春之於大夫也洗心瞻仰天漢彌高鏡公
門人悟甚深者大理評事楊諧過去聖賢諸功德藏志之
所至無不聞知魯史從告況乎傳信其文曰濁金清境在
爾銷練磨之瑩之功至乃現膏潰炷然光明列遍陽升律
應草木皆變啓迪積瞽惟吾大師息言成教捨法與悲辰
極不動風波自移境因心寂道與人隨杳然玄默湛入無
餘性本無垢云何淨除身心宴寂大拯淪胥内光無盡萬
境同知甘露正味琉璃妙髭遍施大千無同無異度未度

者化周緣備道樹忽枯涅槃時至我無生滅隨世因緣吉祥殿上應化諸天寂寂露塔滔滔逝川恒沙刼壞智月常圓

詩

遊牛首山　唐韋莊

牛首見鶴林梯徑繞幽岑春色浮山外天河宿殿陰傳燈無白日布地有黄金休作狂歌老回看不住心

從遊詩　明胡廣

曉從鳳輦出龍關偶尋牛首共躋扳南唐古寺留碑在西竺高僧振錫還百丈崖龕過鳥雀半空鐘鼓隔人間暫遊已覺塵緣息到此方知佛窟閑

和胡學士　失名

寺外山岩石徑斜，岩中開士似丹霞。心涵水月空諸法，坐對寒岩落一花。清夜潮音翻貝葉，當時雲氣護袈裟。匆匆遥望知難覓，歸騎聯翩擁翠華。

遊牛首山　明錢琦

青山高傍帝城隈，結客相將命酒杯。石路草香人獨往，楓林葉暗鳥頻來。江迴素練雲邊出，嶺獻名花雨後開。臨眺莫言歸去晚，放歌還上夕陽臺。

宿牛嶺寺　明陳鐸

到寺萬緣絶，蕭然宿峰頂。蒼蒼野色新，漠漠秋烟暝。相期話三生夜坐石根冷微涼入虛欄老鶴語桐井支郎翻經處松子落古鼎白露下高空濕雲壓幽境披衣闖嫦娥霓裳曲應聽望極顛崖前寒籬耿村逕詩久明月來照我天地靜半生繫虛名江山負真景自汲石泉水同僧瀹佳茗天風在林末空翠散復整一乘演微機開豁自慚省疎竹何蕭蕭雲房亂燈影

八日牛首山　明黃克晦

出郭多逢寺尋山屢過村夜來溪上雨橋下水流渾野曠先知冷嵐深易得昏崖僧欣有客鳴磬啟松門

清明日登牛首山　明余夢麟

對客空堂問四禪隔林踈磬度諸天燈傳白馬殘經後寺倚青春暮雨前浮棟山嵐迷梵影入簾雲氣雜爐烟同來忽憶當年事花落花開一愴然

經牛頭山寺　明陳沂

落日牛頭寺攀緣嶺七盤鳥聲林葉暗山影石溪寒淸梵空中聽丹樓畫裏看到門僧不見松桂滿秋壇

登牛首山　明柴惟道

崖屼峙天闕飛閣凌層空峰巒莽迴互　色遠冥濛磬聲落崖谷梵唄飄虛風景符九秋後影翳千樹紅靈寶自天設塔影疑神工碑板盡滅沒徑草披蒙茸至人徙緬邈曠

世緲難從搴蘿挹幽爽穿林閱葱蘢是身忽若遺神理超無窮永懷謝公趣豈必安期逢

夏日登牛首山　明皇甫汸

出郭紆京覽尋山隔世緣鴈垂珠户塔龍起石巖泉法雨穿花外慈陰憇樹前寧知禪寂處曾是聖遊年

秋日思牛首　明皇甫汸

坐憶空山路青林去不遥齋關閉秋雨寒磬落江潮雅自依龍藏憑誰問虎橋塵心報支遁何日晤言沛

遊牛頭寺　明劉世揚

寺開緣勝地山迥失諸天庭樹能存古空雲不住禪白鷴

遠江出青擁疊岩懸未覓停車路荒村起夕烟

牛首山　明顧大典

刹擁牛山勝雲疑鳥道連振衣當落日江氣遠浮烟塔影垂蘿幌鐘聲清梵筵談玄探小品因叩辟支禪

牛首山閱楞嚴夜坐　明殷邁

一軸楞嚴閱未終四山風靜暮林空忽逢華屋身能入自得神珠道不窮樹影欲迷雲度處經聲遙聽月明中共傳鹿鳥春深後猶向烟蘿禮法融

陟牛首山有述　明王世貞

金陵信佳地茲山仍鬱[illegible]楞形自牛首遥勢應龍盤叢楸

入畫嶺長松當夏寒雲梯界危漢梵宇繪層巒仰窺象緯逼俯覺塵世寬江拖萬里練巖橫千仞丹追昔始興議鄉深治城歎胡云表雙闕母乃文偏安巨明一開闢奕世乃勝殘文祖時駐蹕神孫此迴鑾天子自有眞好萌焉得于雝雝鳳游圖衎衎鴻漸磐朱衫雜緇素白社容簪冠方藉禹功大况值堯世難

將至祖堂過嶺返望牛首　明王世貞

脉從牛首來勝自茲嶺始足力雖小疲目境殊未已午照蒼松巔千崖被紅紫恍如帝釋天鎔金飾𦋐睍色相故以空羨心何緣起

遊牛首山聽友吹簫　明安紹芳

結駟朝來謝世氛亂峰深處俯江濆千尋慧塔還春望百級丹梯入暮雲清磬林中逢惠遠碧簫聲裡對湘君桃花山下堪逢路劇飲何妨到夕曛

小剎 外承恩寺

在郭外南城太北鄉東南去所領弘覺寺五里北去聚寶門三十里正德間創

殿堂　山門叁楹　佛殿叁楹　左伽藍殿叁楹　右祖師殿叁楹　僧院壹房

基址叁拾貳畝　東至本寺塘　西至寺圍墻　南至寺神路　北至寺龍山

公產　田地山塘　共捌拾肆畝貳分伍厘

小剎

通善寺 古剎 勅賜

在郭外南城東去所領弘覺寺五里北去聚寶門三十五里舊名龍泉寺唐鶴林素禪師說法處 國初鏡中禪師重建奏改今額

殿堂 正佛殿叁楹 僧院壹房 基址壹畝 東至章家民山 南至沈家民山 西至潘家民山 北至本寺山頂

公產 田地山塘 共陸拾柒畝壹釐

文

通善寺碑 明大學士楊溥

南京都城西南二十里舊有佛剎曰龍泉禪寺據山水之勝左有磐陀石右有鶴林塔東有牛首山西南瞰楊子江

東南有祖堂江山環抱密邇京都金城玉壘天日下臨山之巔有泉清甘香冽下注山麓匯而爲池渟瀠澄澈天光雲影裴徊往來足以豁大觀滌世慮而曹谿竹林不是過也肇自唐鶴林素禪師說法於此有泉出石竇間因號門龍泉建叢林以奉香火曁今五百餘年鞠爲草莽之區永樂中鏡中圓禪師募緣衆信自宣德癸丑春興工建正殿及天王殿翼以廊廡以至禪室告成于正統癸亥秋以其事上聞賜額通善寺　正統九年甲子秋望日

小剎　廣緣寺　敕賜

在郭外南城建業鄉東去所領弘覺寺二里北去聚寶

門三十五里

殿堂 山門叁楹 佛殿伍楹 僧院壹房 基址壹畝陸分 東至弘覺寺山 南至民山 西至樊家 北至大石凹

公產 田地山塘共伍拾伍畝陸分

小剎 三山寺 古剎 勅賜

在郭外南城光澤鄉東北去所領弘覺寺三十里北去聚寶門五十里三山之麓原爲古剎洪武十三年 命工部侍郎黃立恭建寺正統間僧曇昕洪濟重修其地三峰相連中隱孤寺鐘韻霞標濤聲樹杪有磯頭半懸江中登者爽目

殿堂 金剛殿叁楹 正佛殿伍楹 右觀音殿肆楹 望江樓叁楹在正殿右 純陽閣叁楹在正殿右 僧院房壹 基址拾伍畝東至本寺山南至旗手衛屯田西至大江北至本寺山

公產 田地山共貳百壹拾畝玖分壹厘

山水 三山高二十九丈周四里李白詩三山半落青天外卽此山枕大江寺在山上　晉王濬伐吳宿于牛渚分部明日前至三山吳志晉瑯琊王伷濟自三山 三山井寺內石上所鑿味極甘美不減惠山 三山磯陳堯咨泊三山磯有老叟曰明日午時天大風舟行必覆宜避之來日行舟皆離岸公托以事日午黑雲起天未大風暴至怒濤若山行舟皆溺公驚嘆又見前叟曰某江之遊奕將也公他日當位宰相因當奉告公曰何以報德叟曰吾本不求報貴人所至龍神理當護衛願得金光明經一部乘其力薄得遷職公許之至京以金光明經三部遣人至三山磯投之夢前叟曰本止求一部公賜

以三今連陞數職再拜而去
出翰府名談及金陵新志

文

三山講寺實錄　　明住持曇昕

高皇帝龍飛渡江嘗駐蹕三山之頂洪武十三年　命工部左侍郎黃立恭建寺於三山之陽　賜額三山講寺正統八年住持曇昕念是寺殿堂年久乃與徒衆洪濟等謁緣修理九年駙馬都尉趙輝工部尚書周忱太僕寺少卿鄧浩皆發信心及勸募鼎建三門并修普賢殿又募資財于景泰二年修大佛殿　景泰四年十月十二日

詩

三山　　宋鮑照

泉源安首流川末澄遠波晨光被水族曉氣歇林阿兩江

皎平迥三山鬱駢羅南帆望越嶠北榜指齊河關扃繞京邑襟帶導京華長城非壑險峻阻似荆芽攢樓貫白日摛堞隱丹霞征夫喜觀國遊子遲見家流連入京引躑躅望鄉歌彌前嘆景促逾近勸路多偕萃猶如茲弘易將謂何

三山　宋范雲

仄逕崩且危叢巖聳復垂石藤多倦節水樹繞蟠枝海中昔目重江上今如斯

晚登三山望京邑　宋謝朓

灞涘望長安河陽視京縣白日麗飛甍參差皆可見餘霞散成綺澄江淨如練喧鳥覆春洲雜英滿芳甸去矣方滯

淫懷哉罷歡宴佳期悵何許淚下如流霰有情知望鄉誰能鬒不變

三山　唐李白

三山懷謝脁水澹望長安蕪沒河陽縣秋江正北看盧龍霜氣冷鳷鵲月光寒耿耿憶瓊樹天涯寄一歡

三山　明金大輿

白石三山路青春二仲過緣崖窮鳥道倚檻看鯨波夜靜潮聲急江空月色多酒酣雙樹下醉荅榜人歌

小刹　圓通寺

在郭外南城光澤鄉東去所領弘覺寺二十里北去聚

寶門三十五里

殿堂正佛殿叁楹法堂伍楹廊房陸楹僧院叁房基址陸畝東至許財庄房　南至許財民田　西至大江　北至許財民田

公產地山共壹拾伍畝

小刹
佑聖菴古刹

在郭外南城孝義村東北北去所領弘覺寺七里北去聚寶門三十五里

殿堂佛殿叁楹左法堂伍楹右廊房伍楹僧院叁房基址肆畝捌分東至新民塘　南至段彥聰民田　西至虞梱民田　北至虞仲禮民田

公產田地共柒畝壹分

刹 資福寺

在郭外南城建義鄉西北去所領弘覺寺十五里北去聚寶門四十里

殿堂 山門壹楹 正佛殿叁楹 僧院貳房 基址肆畝 東至本寺山 南至陳家塘 西至本寺官走路 北至寺後山

小刹 靜明寺 勅賜

在郭外南城安德鄉西去所領弘覺寺五里西北去聚寶門三十里正統間造有玉華泉出石壁下

殿堂 天王殿叁楹 佛殿叁楹 左伽藍殿壹楹 右祖師殿壹楹 法堂叁楹 僧院叁房 禪堂叁楹 基址捌畝 東至毛府墳 南至毛府山 西至安長山

北至皁廠山

公產　田地山塘共叁拾捌畆柒分玖厘

山水　玉華泉出石壁下

玉華泉銘　明盛時泰

巘巘石壁，涓涓流水。名似玉華，昉自何氏。松殿空開，蘿扉不啟。中有山僧，日宴而起。來禽蒲樹，汲泉自煑。青天明月，共爲賓主。

詩　遊靜明寺　明沈越

萬柿垂枝秋色蒼，遠林騎馬度重岡。客登山路穿松逕，僧禮蓮臺閉竹房。夜靜梵音巖壑滿，月明清夢石床凉。此心

頻有皈依處回首諸天别思長